D1292994

LE DÉSIR

comme catastrophe naturelle

Directeur de collection : Robert Davies
Directrice de fabrication / design : Madeleine Hébert

Dans la même collection

Nénuphar, Ella Cara Deloria
Écotopie, Ernest Callenbach

Prix Stendhal 1989

décerné à Claire Dé, par décision du jury composé de:
M. Maurice Bertrand, *adjoint au Maire de Grenoble,*
M. Jean-Louis Schwartzbrod, *conseiller municipal,*
Mme Andrée Appercelle, *Union des Écrivains,*
M. Bruno Daudin, *Centre de création littéraire,*
M. Philippe de Boissy, *Centre de création littéraire,*
M. Victor Del Litto, *Maison Stendhal,*
M. Paul Hamon, *Académie delphinale,*
M. Jean Lavedrine, *Université Stendhal-Grenoble III,*
M. Yves Le Hir, *Université Stendhal-Grenoble III,*
M. Michel Merland, *Bibliothèques de Grenoble,*
M. Maurice Wantellet, *Société des écrivains dauphinois,*
M. Bernard Vachon, *poète, professeur de lettres.*

L'Étincelle est une collection de Services Complets d'Édition (SCE) et de SCE-France

---

POUR RECEVOIR NOTRE CATALOGUE, IL SUFFIT DE NOUS FAIRE PARVENIR UNE DEMANDE À L'UNE DES ADRESSES SUIVANTES:

SCE-Canada, C.P. 702, Stn Outremont, Qué., Canada H2V 4N6
SCE-France, 70 avenue Émile-Zola, 75015 Paris, France.

claire dé

LE DÉSIR

comme catastrophe naturelle

L'Étincelle
Montréal–Paris

DIFFUSION

Canada: **Médialiv**
1975 Bd Industriel
Laval, Québec H7S 1P6
Tél. [514] 629-6001

France: **SCE-France**
70, avenue Émile Zola
75015 Paris
Tél. 45.75.71.27

Belgique: **Presses de Belgique**
96, rue Gray
1040 Bruxelles

Suisse: **Diffulivre**
41, Jordils
1025 St-Sulpice

Dépôt légal 2e trimestre 1989 Bibliothèque nationale du Québec.
ISBN 2-89019-195-8
1992 1991 1990 1989 1 2 3 4 5 6 7

« La vie est trop courte
pour se mêler d'autre chose
que l'Amour. »

Appeles Fenosa (1899-1988)
sculpteur catalan et français

Bâton de rouge

Le temps est frileux, le ciel est bas, et ce matin-là, comme tous les matins avant de sortir, la femme farde ses lèvres d'un rouge vif, d'un rouge sang. Le temps est frileux, le ciel bas, et ce matin-là, un 22 janvier, la peur tout à coup, la peur dans ce bâton de rouge, une peur diffuse, que tous les autres matins soient pareils à ce 22 janvier, une suite monotone de

22 janvier sans relief tous identiques jusqu'au dernier, la femme farderait ses lèvres de rouge avant de sortir comme s'il n'en était rien, alors que la peur lui broie la tête et les membres qu'elle en chancelle, la peur que tout son sang soit peint là, sur ses lèvres, la peur que son cœur ne batte plus depuis que son amant est parti. Alors ce matin-là, la femme applique son rouge à lèvres comme on élève un mur, comme on revêt une armure, pour rien, gestuelle dérisoire mais élaborée, la femme peint ses lèvres mais ne voit que la bouche de son amant, sa bouche à lui sans cesse, comme elle se gorgerait de sa voix, de ses mains, de sa peau, de son sexe, mais rien ce matin-là, rien que le ciel bas, j'ai froid, mais rien que ce bâton de rouge, un mur, une armure dérisoire, la femme pense aussi que ses sens et son esprit n'en sont pas moins atteints, altérés, car elle ne sait plus rien la femme, elle ne sait plus dire que ah oui embrasse-moi encore, aime-moi, pense à moi parfois, le temps est frileux, mes souvenirs

en lambeaux, ton corps morcelé, l'espace, le temps, le désir concassés, volés en éclats, l'absence ce mal, ces miettes. Ma vie bâton de rouge.

Le désir comme catastrophe naturelle

J'ai rencontré le diable en personne, un 23 février, tard un soir de bonheur dans un bar à peu près vide. Il jouait de l'harmonica et sur le coup, je ne l'ai pas reconnu. D'abord parce que, comme tout rejeton de ce siècle qui a engendré les chambres à gaz, les massacres à la scie, les guerres chimiques et la bombe atomique, je ne croyais ni à Dieu ni à diable. Ensuite celui-ci n'arborait ni cornes pointues ni sabots fourchus, cela ne doit plus guère se porter, de nos jours. Je n'ai gardé que peu de souvenirs du reste, j'avais trop le cœur qui crapahutait car, après son numéro, il m'a fait rire en me racontant des histoires tristes, il m'a parlé aussi de la grande faille marine du Saint-Laurent et que, dans pas longtemps, tout le Québec serait ébranlé par un épouvantable séisme et que la meilleure manière de se garantir des tremblements de terre était de non pas se précipiter dehors ni de s'enfermer dans une armoire, mais bien de se tenir dans *l'encadrement d'une porte.* Quelle est cette flamme qui me lèche les veines ?

J'aurais dû tout de même me méfier, car ce diable-là rugissait dans son instrument avec une virtuosité stupéfiante, cela devenait bourrasques, flots impétueux, loups et chiens, âmes qui râlent, soupirent et pleurent, et tout en mugissant ces airs sataniques qui nous tétanisaient, ce diable-là tapait des pieds par terre avec une ferveur inépuisable. Ce détail à lui seul aurait dû me prévenir : n'avais-je pas lu, ou entendu, ces vieilles légendes québécoises où Satan a tant dansé que le plancher en est resté marqué ? Que n'ai-je surtout senti le gouffre ? J'étais prête à me lancer dans le vide, jouer avec le feu, perdre la raison ou la vie parce que ce diable-là m'avait toute retournée. J'ai maudit la belle actrice qui est venue tout à coup lui parler, mais j'ai réussi à le détacher d'elle en déclarant que je le kidnappais. Je le vole. Je le veux et pourtant c'est lui qui, le premier, m'a prise, m'a saisie. Mais il l'ignore encore.

Dehors, l'hiver froid et pluvieux a disparu et la brume, le rose aux joues, s'accroche au cou des lampadaires. Je demande à ce diable-là de me reconduire. Montréal est endormi, engourdi ou désert ? Dans son auto même si, tout à l'heure, je lui ai fait du genou sous la table, je n'ose à présent poser ma main sur sa cuisse, seulement rouler, entre mes doigts, les mèches bouclées au-dessus de son col. Puis il a stationné sa voiture et laissé le moteur tourner, comme s'il allait repartir tout de suite et ne pas monter avec moi dans ma chambre, ni dormir avec moi, ni même seulement m'embrasser. Mais nous avons échangé un baiser qui m'a semblé interminable et il a fini par couper le contact et me suivre.

Parfois je me dis que cela aurait pu se passer comme souvent. Après s'être rencontrés et avoir épuisé tous les sujets de conversation, on aurait fait l'amour pleins de bonne volonté, pour avaler d'un trait, le lendemain matin, mi-oignons mi-limettes, un café plutôt amer : une nuit semblable à tant d'autres et que l'on préfère biffer. Mais ce que j'avais senti de lui, à partir de lui, ce qui durcissait mon ventre, me rendait le cœur gros mais content et le sexe tout miel, enfin le désir de lui qui m'avait enfiévrée, tout cela ne se trompait pas. Que dire alors de cette première nuit avec lui sinon qu'elle m'a enchantée, en effet, et que nous avons dormi noués jusqu'au matin. Lorsqu'il est parti, je lui ai dit ne m'oublie pas.

Il ne m'a pas oubliée. En me traitant de « tentatrice », ce diable-là m'est revenu, un peu effrayé car il me l'a dit. Je lui ai répondu qu'il y a de quoi avec le désir, que c'est une avalanche, un ouragan, un sinistre, oui c'est terrible et délicieux et sûrement illégal. Il me demande aussi si je suis toujours « comme ça ». Impossible de lui avouer que « comme ça », c'est la première fois, il ne me croirait pas, alors je lui réponds rarement, très très rarement, et que j'ai payé cher, auparavant, de n'avoir pas écouté mon désir, d'avoir laissé la vie, les circonstances, les aléas, prendre le pas sur ma passion. Je ne lui en ai guère révélé plus, pas plus que lui sur son suicide par amour à quinze ans.

Impossible de tout savoir la première fois. Ou à la millième.

Lorsque je suis seule, sans cesse des réminiscences de lui m'assaillent, comment, mine de croquer mes perles, de ses baisers il m'a tressé un collier de flammèches, ou comment sa langue a abreuvé, après l'orgasme, ma bouche devenue aride, ou comment nous avons joué à qui entourerait de ses mains celles de l'autre, ou comment il s'est endormi dans le creux de mon bras, mon pouce dans sa paume, ou comment, lui assis une jambe repliée sous lui, moi à genoux devant lui, mon clitoris au bout de ses doigts il m'a dodelinée, ou comment il me taraude et me vrille et rien que d'y songer, de fort humides bouffées m'attisent.

— La prochaine fois que tu vas à Québec avertis-moi. Avec ses pierres grises, ses rues pentues, Québec est si romantique et je n'ai jamais eu vraiment l'occasion d'en profiter. Avec toi...

Sans cesse je mâchonnerais une poignée de ses cheveux odorants, me régalerais d'une mordée de son épaule, d'une bouchée de son torse, de ses fesses rectangulaires et dures, je me pourlècherais de lui, je souhaiterais tant qu'il éprouve autant de plaisir que moi.

Dans un silence, nous buvions chacun notre cognac, chez moi.

— Tu sais m'a-t-il dit après une grande inspiration, dans six mois je ne serai peut-être pas là, à côté de toi, ou peut-être j'y serai... Mais je ne veux rien te promettre.

— Je le sais, je le sais depuis le début. Tu es libre mais je suis libre aussi. Ce qui m'importe c'est que tu sois là, auprès de moi.

Sa main, dans la mienne.

— Ne t'en fais pas ai-je continué, je ne t'épouserai pas. Je ne fais plus ça à personne.

— Je suis pas mal dérangé m'a-t-il dit encore.

— Moi aussi je suis pas mal dérangée. On est pas mal dérangé et c'est correct : c'est comme ça.

Je n'ai eu de cesse, dès lors, qu'il ne me nourrît de ses caresses. Avec lui je flambais, fondais, me déployais. Il m'embrassait et je perdais pied, il m'orageait et me foudroyait. Combien d'étreintes ai-je ainsi partagées avec ce diable-là ? Mais par une autre nuit, après m'avoir, une fois de plus, comblée de ces douceurs par lesquelles il m'avait tant attachée, il m'a quittée. Sans autres explications qu'il ne désirait pas me revoir. L'enfer.

Vous croyez peut-être, comme moi jusqu'alors, que l'on rissole en enfer comme côtelettes sur grilloirs ? Pas du tout. L'enfer c'est après l'élément destructeur, après la bombe. Après. Ni l'affection de ma famille, ni la présence de mes amies femmes, ni théâtre, ni musique, ni vins, ni bonne chère, ni parfum, ni aucun autre corps n'éveillait en moi la moindre envie. Cela a duré. Trop de temps, sans doute. Puis une dame, d'un âge certain, m'a empoignée par le bras en pleine rue pour me conter la grave opération cardiaque de son mari, les divers malheurs de ses enfants, son cancer personnel et son plus récent cambriolage. On ne résiste pas non plus très longtemps aux médiums de masse et à leurs fleuves d'horreurs, meurtres, tortures, génocides et famines, et je n'y ai pas résisté. L'enfer de la vie de tous les jours, l'enfer ordinaire, a repris sa place, le dessus, et ce diable-là et ses diableries se sont estompés. Je me suis levée, un matin, toute légère, sensible à nouveau aux mille cajoleries de la vie et si étonnée. Un étonnement complet, intégral, absolu, pour ainsi dire : définitif.

Beaucoup plus tard, un lundi soir de milieu octobre, après avoir dîné tôt et m'être prélassée dans un bain propre à ébouillanter n'importe quel crustacé, je me suis avisée que je n'avais plus de quoi écrire, ce qui était inexact mais ce soir-là, il m'est apparu indispensable de sortir quérir un nouveau stylo, ou du papier à lettres. Sitôt dehors j'ai été engouffrée par un brouillard si dense qu'il avait effacé les façades, les vitrines des boutiques et jusqu'aux réverbères, dont ne clignotaient plus que de vagues lueurs. J'ai dégrafé mon manteau et grelotté, mon corps aussitôt avalé par ces nébulosités opaques et irréelles.

J'ai marché ainsi, comme dans un rêve, jusqu'à une pharmacie multi-services comme il en existe en Amérique, incroyable bazar où l'on vend autant de médicaments que du ketchup, de la nourriture animale que des clés anglaises. J'ai donc marché jusqu'à cette pharmacie située à proximité, qui m'est pourtant apparue fort éloignée. J'y ai acheté un stylo-feutre à encre violette, pour ressortir et revenir d'une seule enjambée. Sitôt ma porte refermée, on sonnait. C'était lui. Ce diable-là.

— Est-ce que je te dérange ? me demande-t-il.

— Je rentrais justement.

— Je peux entrer avec toi ?

— Si tu veux.

Si tu veux ! A nouveau possédée comme il y a cent ans, comme au début du monde, comme hier. Lui, toujours aussi charmant, m'exécutait un tour de magie : de son poing fermé, il extirpait une écharpe de soie rayée d'un dégradé d'ocre au vert et signée d'un paraphe prestigieux, ce diable-là a du goût. Je me presse contre ce démon. Plante-moi, oh oui plante ta langue dans ma bouche, ton sexe en moi, que je me liquéfie, que je ne sois plus que flux qui houle. La chambre et le lit se sont rapprochés d'un saut, et ce diable-là n'a guère pris soin de replier son pantalon, je te veux, je te mords, je te tire les cheveux, rage, cris et remous, la montée, la poussée intérieure. La volupté.

Je ne sais plus ni comment je m'appelle, ni où je suis, ni ce que je fais là. Assouvie, je m'assoupis et lui murmure, indolente :

— Sais-tu que tu es le diable en personne ?

Il s'en défend, se débat comme dans l'eau bénite, proteste : il n'est qu'un pauvre homme. Pauvre diable. Mais il ajoute :

— Je suis d'abord un sorcier.

Et il place un lièvre d'argent sur ma poitrine.

— C'est un lièvre de montagnes. Avec

une longue chaîne, pour qu'il se promène toujours là, entre tes seins.

Chaînes. Prison. Qui encage qui ? Choisit-on ? Damné sorcier avec ta baguette magique, est-ce que tu m'asserviras toujours ?

Mais cette première nuit avec lui, après ce soir de bonheur dans un bar à peu près vide où il m'avait parlé de la grande faille marine du Saint-Laurent, en ces temps où je ne le couvrais pas encore d'imprécations, je lui ai offert, après l'amour, une clémentine que j'ai épluchée, puis séparée en quartiers que j'ai portés, un par un, de mes lèvres à ses lèvres, douze occasions de baisers fruités. Puis je me suis assise sur ses genoux, que l'on se dodiche encore.

— Lève-toi, avant que j'oublie, lui ai-je tout à coup commandé. Je dois accomplir un rite. Viens ici.

Mon diable est intrigué. Je le plaque

contre le chambranle, me colle à lui, lui suçotte l'oreille. Contre moi il durcit. Alors je lui chuchote qu'à chaque portail, qu'à chaque porche, que dans chaque *encadrement de porte,* je devrai l'embrasser. Ainsi, on sera protégé, on pourra produire tous les tremblements de terre qu'on voudra.

A tuer

Aujourd'hui. Ce mercredi 24 mars. Je bute tout le monde. Cinq heures du matin. L'heure des désespérés. Ils ont dit ça. Hier. A la télévision. C'est ce qui m'est revenu à la mémoire. Durant que je descendais l'escalier de notre sixième. Chercher des croissants. Pour toi. Mon cher amour. J'ai jeté ma pelisse de nutria sur mes sous-vêtements. L'immeuble est silencieux. Tout le monde est au chaud sous sa couette. Notre voisin de palier. Un jeune homme dans le vent. Ses parents demeurent au deuxième. Lui il a planché sur ses dessins toute la nuit. Il est architecte décorateur. Ou quelque chose du genre. Il a exposé au SAD, l'automne dernier. Le Salon des Artisans et Décorateurs. On devait y aller. Puis j'ai changé d'avis. Lui, le voisin. Il dessine des trucs utiles. C'est un garçon sérieux. Je le sais. Son bureau donne sur notre chambre. Quand je ne dors pas je l'observe. Il tire des traits. Suce son crayon. Ses parents doivent être fiers de lui. Au troisième, l'auguste Auguste Dromart. Notre propriétaire. Auvergnat catholique rentier. A amassé sa fortune avec le café d'en face. Les Cocotiers. Un troquet qui s'est affublé de pseudo art déco. Auguste Dromart et Madame assistent à la messe. Mais rien qu'à sept heures. Les autres appartements. Que des dames âgées. Paulin. Le tueur du dix-huitième arrondissement. Il aurait eu de quoi s'occuper, ici. Vu l'abondance de la marchandise. Les dames âgées. Leurs télés ne s'allument que vers huit heures trente. Avec *Le Magazine de l'objet.* Vaut mieux ça. S'attacher aux objets. Que rien du tout.

Je marche un peu. Encore nuit. Et pluie. Une journée *drabe,* comme on dirait en québécois. Ordinaire et plate. Ça va ronchonner dans les chaumières. Je suis sur le point de leur fournir un nouveau sujet de conversation. Je fonce chez la boulangère de la rue Courtalon. La plus mauvaise du quartier. Mais la seule ouverte dès potron-minet. Son pain goûte le plâtre. Elle a rénové. Depuis le mois d'août. C'est passé d'une boutique crade et sale à une bonbonnière crème et dorée. Lisérée de bourgogne. Et sale. Mais avec des portes à ouverture automatique. Dangereux, ça. On aurait dû l'en avertir.

Ça s'empare de moi tous les jours. A l'aube. L'anxiété. Ça me réveille en sursaut. En sueurs. Ça me tire vers le bas. Le noir. L'abîme. Je n'arrive même plus à penser. Je veux me serrer contre toi. Mon amour. Pour un semblant de chaleur. De réconfort. Et tu me tournes le dos. Dans ton sommeil. Comme dans ta vie éveillée. Je n'ai plus qu'à me lever. A m'habiller. A me maquiller. A m'agiter. A lire le Monde de la veille. N'importe quoi pour m'arrêter de pleurer. Gazage des Khurdes. Massacres en Afrique du Sud. Bastonnades en Haïti. Tortures au Chili. Ça ne peut pas être les nouvelles du Monde. Qui portent à rire. Le docteur a dit que c'était comme ça. Avec nous les maniaco-dépressifs. Cycliques. Période d'abattement suivie d'exaltation. Encore que. Pour moi. L'exaltation. Je suis loin de la voir venir.

— Bonjour Madame Ficet.

Elle est à torcher son plancher. Femme-tonneau. Femme-colonne-de-Buren. Tronquée. Myrmidonne. Et frisottée.

Depuis que j'en ai connu une comme ça. Une ingénieure en informatique. Je ne peux pas blairer ce genre de pécore. Elle ne se déplace pas, elle hoche. Elle ne parle pas, elle craquette. Pour tenter de se faire remarquer. Du haut de toute sa petitesse.

— Qu'est-ce que ce sera pour vous ? On se presse.

Mais je suis toute seule dans son commerce ! Madame Ficet s'est relevée. Maintenant elle astique ses présentoirs. Avec la même serpillière. Crasseuse. Utilisée pour son plancher. Répugnant. Je lui décoche mon plus beau sourire. Mon premier depuis des mois.

— Trois de vos merveilleux croissants pur beurre. S'il vous plaît.

Elle me les sert. Avec ses doigts boudinés. Qui fleurent la Javel. Je la paie. Quand mon amour. Quand tu te lèves. Je me cache dans les cabinets. Pour ne pas que tu m'aperçoives. Dans cet état. Les yeux bouffis. Les cheveux en bataille. L'air hagard. C'est un reste de fierté. C'est bien tout ce qu'il me reste. Un an. Un an aujourd'hui.

— Vous ne pourriez pas me vendre un kilo de pâte à pain ? Que j'ajoute. C'est pour mon mari. Il organise une partie de tarot pour ce soir. Je veux leur préparer des minipizzas.

— Je vais voir.

Mais qu'est-ce qu'elle a à voir au juste ? J'enjambe le comptoir. Je suis derrière elle. Elle est penchée au-dessus de son pétrin. Je lui enfonce la tête dedans. La pâte se dégonfle avec un Plof ! agréable. Madame Ficet se débat. Je tiens bon. Déjà, elle gesticule moins. Ramollit. Ça y est. Madame Ficet est décédée. Etouffée dans sa propre panade. Ses clients ne la regretteront pas. Je m'essuie les mains. Sur son tablier de souillon. M'empare de ses clés. Eteins les lumières. Retourne la pancarte Fermé vers la rue. Verrouille les portes. Qui ne seront sûrement plus automatiques. A partir d'aujourd'hui.

L'aube grisaille. Humidité glacée, implacable. Je resserre mon col. Renfile mes gants. Un an aujourd'hui. Pas une journée où je n'ai essayé. De te quêter une caresse. Un baiser. Un Je t'aime. Ou, du moins, essayé d'en parler. Avec toi. Mon amour. Pour rien.

— Ça ne me dit plus rien. C'est pas toi. Que tu finis toujours par ajouter. Et que ça va finir par revenir.

Quand ? Quand ? Je titube au hasard. Le visage tourné vers le ciel. Que la pluie me chiale sur la face. Lorsque je passe devant la vitrine la plus pouacre de Paris. Anéantissement des animaux nuisibles. Vingt-trois rats d'égouts. Empaillés. Depuis 1925. Leurs vingt-trois cadavres mités écrasés dans les crocs de fer de vingt-trois pièges. J'ai tout essayé. Avec toi. Mon amour. Tout ce qu'on nous recommande. A l'année longue. Dans nos précieuses revues féminines. J'ai d'abord investi dans l'accessoire. Le bas résille. Le dessous coquin. Les séances de photos pornos. Ensuite je suis tombée dans le théâtral. L'indifférence feinte. Même la prise d'un faux amant. Pour provoquer chez toi. Mon amour. Un semblant de jalousie. D'intérêt. Enfin j'ai cédé à la maladie. Asthme. Bronchites en série. Troubles gastriques. Qui m'ont rendue d'une maigreur plus qu'élégante. Pour rien. Voilà l'anéantisseur. Un teint de blatte vineuse. Des yeux porcins. Une casquette fanée vissée sur le chanfrein. Une chemise douteuse tendue sur la panse. Il est à rentrer sa caisse de vins. Quotidienne.

— Je peux entrer ? Que je lui demande.

Et Clache ! Le coup du sourire. Assaisonné d'un battement de cils et d'une roulade d'épaule. Il est déjà allumé. Le rat. Il me précède. Dépose sa caisse derrière une table. Désordre de vieux garçon. Odeurs qu'on préfère indéfinissables.

En société. Mon amour. Toi. Le plus délicieux homme du monde. Ta gentillesse conquiert chacune de mes amies. Qui n'arrêtent pas de me répéter combien elles m'envient. D'avoir réussi à enferrer un tel mari. Qui travaille si dur. Qui m'a procuré un si bel appartement. Qui me paie tout ce que je veux. Qui me couvre de cadeaux. Qui fait la vaisselle. Et même, parfois, la lessive. Tu me le disais. Au début. Que tu avais des ennuis au travail. Je t'ai cru. C'est temporaire. Ça va passer. C'est ce que j'avais pensé. Au début.

— Qu'est-ce qui est mieux ? Que je demande à l'anéantisseur. En minaudant. Le piège ou le poison ? Je veux dire pour les rats.

— Maintenant nous disposons même d'ultrasons. Je vous donne une démonstration ?

J'acquiesce avec enthousiasme. Comme si rien d'autre au monde ne m'intéressait davantage. Il se baisse sous la table. J'empoigne l'une de ses bouteilles. La lui assène sur la nuque. Epaisse, la nuque. La bouteille éclate. L'anéantisseur coule à pic dans le coma. Un coma certainement dépassé, mais qu'est-ce qui dépasse quoi ? Avec une deuxième bouteille. Rien que du gros rouge. Je lui défonce l'occiput. Du côté goulot. Encore un qui sera mort dans l'alcool. Les rats d'égouts vont danser.

Je sors en refermant doucement. Sans bruit. On m'a assez souvent reproché de claquer les portes. Je hume l'air : monoxyde de carbone relevé d'une pointe de pipi frais. Urine n° 5, la fragrance favorite de la ville lumière. Tout est normal. Je franchis la rue des Halles. Perdue dans mes rêveries. Morbides. Je t'ai cru. C'est temporaire. Ça va passer. C'est ce que j'avais pensé. Au début. Ça, c'était avant que. Que je ne découvre ta maîtresse. Une ingénieure en informatique chez IBM. Laide comme des fesses d'huître. Tu l'as invitée. Chez nous. Un soir. Il y a une dizaine de mois. Pour parler boulot. Que tu avais dit.

Achetons or, argent et débris dentaires. C'est ouvert, ici. Je pénètre dans l'échoppe.

— Combien pour une dent ?

— Tout dépend.

Il s'avance vers moi. Un pépère. Courbé. En habit noir lustré. Le pif en bec. Les doigts en serres. Le cheveu rare et jaunâtre. Maigre mais onctueux. Je l'ai su tout de suite. A la seconde. Que c'était ta maîtresse. Et que c'était pour ça que. Que tu ne me. Plus jamais. Ça n'a pas été dans les gestes. Ni dans les regards. Qu'elle et toi ont pris grand soin de ne pas échanger. Non. Je l'ai su *intérieurement.* Je l'ai détestée. Sur-le-champ. En jetant les yeux sur elle. Tout ce que je compte d'organes. Cœur. Cerveau. Tripes. S'est noué.

— Justement, hier. Une triste histoire. Une pauvre dame. Son mari avait toujours placé tout leur argent sur ses dents. Uniquement sur ses dents en or.

En verve et en veine de confidences, ce matin. Le pépère. Il rajuste son nœud papillon. Autour de son cou décharné. De vautour. Coquet.

— Elle me les a toutes apportées. Les trente-deux. Une sorte de lubie. Mais qui n'a pas ses manies, n'est-ce pas ?

— N'est-ce pas.

Je t'en ai parlé. Te l'ai demandé carré. Si c'était ta maîtresse. Tu as juré tes grands dieux que non. Que j'étais folle. Que je me trompais. Comment ! Mais tu n'as pas confiance en moi ? Que tu t'étais exclamé. J'avais confiance. Je t'ai cru. Mais tu continuais. De ne pas me. J'entrebâille mon manteau. Le pépère glisse un œil. Qui se cloue sur un coin de mon balconnet en dentelle café. Puis sur la chair de ma poitrine. Fragile. Frémissante. Il poursuit. Un peu émoustillé. Tout de même.

— Quand il est mort, elle a tout récupéré. Trente-deux dents, en or d'excellente qualité. Je lui en ai offert un bon prix.

— Je suis intéressée. Vous me montrez ?

Il ne refuse pas. Il ouvre un tiroir. Un revolver. A côté d'un étui en velours marine. Il saisit l'étui. Moi le revolver. Je me frotte contre le pépère. Bande une dernière fois, mec. Je pense à cette pauvre dame. Qui a enduré les lubies de son mari. Tant d'années. Je l'ai imaginée. Arrachant les dents de son défunt. A la tenaille. Quel que soit le montant. Que le pépère lui ait accordé. Ce ne sera jamais assez. Jamais. J'appuie sur la détente. En même temps. Plus loin. S'est déclenchée l'alarme anti vol d'une voiture. Personne ne m'a entendue. Merci les voleurs d'autoradios. Le bec du vendeur a atterri entre mes seins. Il est mort heureux. Bandé. J'empoche le revolver. Ça peut servir encore. On ne devrait pas permettre de se procurer des armes à feu. Ça hausse le taux de criminalité violente.

Il s'est arrêté de pleuvoir. Mais toujours cette humidité. Qui s'insère en moi. Me givre de l'intérieur. J'ai l'impression que je suis sur le point de me fendiller. De me crevasser. Et brésiller telle les roches gélives de mon pays. Je m'avise tout à coup. Mes croissants toujours sous le bras. Qu'il me manque du lait frais. Quelques pas à droite. A gauche. Plusieurs roquets promènent en laisse leurs maîtres léthargiques. L'Arabe est derrière sa caisse. Un brave Arabe rondouillard. Avec des yeux larmoyants d'épagneul. Il se cure les ongles. Avec son Opinel.

— Ça va ?

— Ça va de mieux en mieux.

Il y a deux mois. Tu as perdu tes clés. Que tu as dit. En fait. Elle te les avait volées. D'ailleurs. Trois jours plus tard. Tu as reçu un appel. D'elle. Je le sais. C'est moi qui ai répondu. Tu m'as fait signe. De m'éloigner. C'est pour mon boulot tu comprends. Que tu m'as dit. Puis dans la soirée tu as marmonné à plusieurs reprises c'est elle qui l'a voulu. C'est elle qui l'a voulu. Un ultimatum de sa part. Probablement. Du style Tu la quittes ou je te quitte. Toi, comme tous les hommes. Lâche. Voulant ménager à la fois la bique extra-conjugale et le céleri-rave domestique. Alors ton aventure. Ta maîtresse y a coupé court. Mais. Même après que. Tu as continué. De ne pas me.

Chez l'Arabe. Je m'empare de mes trois litres de lait. Ma ration nécessaire pour vingt-quatre heures. Je paie. Il lâche son Opinel pour ma monnaie. Je lui introduis son couteau sous les côtes. Remonte d'un geste sec. Le sang lui jaillit de la bouche. J'ai dû toucher un poumon. Il écarquille des yeux étonnés. Plus épagneuls que jamais. Presque touchants. Se penche vers moi.

— Tu savais ça, toi? Que je lui dis. Un savant du Texas. Il a déclaré que la surconsommation de lait. Ça pouvait accentuer les tendances homicides. Tout le monde l'a traité de cinglé.

Jusqu'à ce que tu me demandes. Un autre soir. De te chercher des dossiers. Dans ton bureau. En est tombée. Du paquet de dossiers. Une enveloppe. Décachetée. Avec deux lettres. Ecrites de ta main. Ta main à toi. L'Arabe s'affaisse sur sa caisse. Je retire l'Opinel. Pas tellement de sang. C'est peut-être ça une hémorragie interne. J'espère qu'ils ne colporteront pas que c'est un crime raciste. Moi, ce n'est pas les Arabes, c'est l'humanité en général. Et moi en particulier et au premier chef. Je suis sortie en oubliant mon lait. Et mes croissants. De toute façon. Je ne les aime pas, ces croissants. Trop mous.

Ensuite, j'ai achevé un clochard. Ça l'a soulagé de lui-même. Il cuvait sa nuit. Rencogné par terre à la devanture d'un restaurant portugais. A coups de barre de fer. Qui traînait tout près. Du matériel mal rangé. Un sempiternel travail de voirie. Les rues toujours en réfection. Ce qui n'arrange pas la circulation. Ni le nombre déjà insuffisant de places de stationnement. D'ailleurs j'aperçois l'une de ces harpies en bleu poudre. Stylo Bic en érection, carnet bien entamé, une aubergine déjà sur le pied de guerre. Si tôt matin ! Elle s'apprête à coller une contravention. A la BX de mon chéri ! A cette heure-ci ! Je cours sur elle. La pousse dans une entrée.

— Elle ne gêne personne, là !

— Mais Madame...

Elle n'a pas eu le temps de terminer. J'ai eu un mouvement surprenant. J'ai descendu son fichu blanc autour de son cou. L'aubergine bleu poudre ne sait plus rien. Ni comment agir. Avec une autre femme qui l'agresse. C'est plutôt les hommes. D'habitude. Dans la première lettre. Tu te plaignais. A elle. L'ingénieure de IBM. Dans une première lettre. De son indifférence. Que c'était dur pour tous les deux. Je parviendrai à imposer ta présence à ma femme. C'est ce que tu avais écrit. C'est pratique. Que tu ajoutais. Elle s'occupera des courses, du ménage et de la cuisine. Et c'est une bonne cuisinière. Même ça. Le plaisir culinaire. Même ça. Il fallait que tu me le gâches. Que tu m'en prives. L'aubergine bleu poudre. Elle a noué sur son bibi un fichu blanc. Pour protéger son bibi de la pluie. Son bibi assorti à son uniforme bleu poudre. Elle doit se raconter qu'elle est *Sylvie hôtesse de l'air.* Ça la console peut-être d'entendre toutes ces injures à la journée longue. Pauvre créature. Dans la deuxième lettre. Tu t'y plaignais aussi. Qu'elle soit passée d'une relation amicale et complice. A l'hostilité pure et simple. Fini, que tu avais écrit. Fini de s'écrouler ensemble sur le canapé et de se faire des câlins. Fini de se recevoir, de parler, de se câliner et de rêver. Et comme tu le regrettais. Alors que moi. Depuis un an. C'est elle. Qui avait dû cacher ces lettres. Dans tes dossiers. Elle le savait. Que je finirais par les lire. Un jour ou l'autre.

J'ai serré. J'ai tordu le fichu blanc. Sous le menton de l'aubergine bleu poudre. Elle s'est débattue avec plus de force. Que Madame Ficet, la feue boulangère. Elle m'a griffée au visage. Arraché un bouton de ma pelisse de nutria. Je n'ai pas cédé. Les aubergines bleu poudre c'est contre nature. Mon cher amour n'écopera pas. Pas aujourd'hui. Encore que. Je me demande s'il l'aurait payée. Cette contravention. Avec les présidentielles dans quelques mois. On anticipe l'amnistie présidentielle. Il y a des gestes, comme ça. Je ne saurai jamais. Si ça a servi.

Les rues s'animent. Je cours en talons aiguilles sur les pavés gras. Glissants. Manque de tomber à plusieurs reprises. File un de mes bas noirs. Traverse la rue de Rivoli en me faufilant entre les voitures. Hourvari de klaxons. Débouche sur la rue Bertin-Poiré. Puis sur le Codec. Et le propriétaire du Codec. Aussi ventripotent qu'omnipotent. Petit dictateur de sa grande surface. J'affiche un visage déploré.

— Monsieur ! Monsieur !

Il se rengorge. S'autostatufie en celui-qui-a-tout-compris. En homme-fort qui-protège-la-faible-femme-agressée. J'entre avec lui. Puis m'élance dans ses bras. Sanglote à lui fendre l'âme. Facile, j'ai les nerfs à vif. Il me tapote le dos avec des voyons voyons ma p'tite Madame. S'il y a une chose que je déteste, c'est qu'on me traite de P'tite Madame. Ces deux lettres. Dire que je savais tout. Depuis le début. Imbécile. C'est pire encore. De l'avoir su. Puis de l'avoir nié. Pour découvrir ensuite. Ce que l'on savait déjà. Et que l'on tentait de toutes ses forces d'ignorer. On perd toute confiance. Confiance dans les autres. Dans toi. Dans moi. Surtout en moi.

Salissure généralisée. Même sur nos meilleurs souvenirs. Le passé. Le futur. Chaque bouchée de vie. Difficile à avaler. A cause du goût. De tout. Un goût écœurant. Quand tu vas invoquer le boulot. Le boulot ou n'importe quoi. Maintenant, comment te croire ? Comment croire quoi que ce soit ? Pan ! Le ventru potentat du Codec s'écroule. C'en est fini de sa tyrannie sur les caissières vietnamiennes. On accomplit la révolution que l'on peut. Un seul regret. Je n'ai pas eu le temps de l'ensevelir. Sous une montagne de surgelés.

Presque jour maintenant. C'est passé d'un gris anthracite à un gris plombé. Je m'adosse au mur de l'hôtel Flor Rivoli. Deux étoiles pâlies. A reprendre haleine. Quand je relève la tête. Un policier s'approche. Avec mon manteau ouvert sur mes sous-vêtements. Mon bas noir filé. Il me prend pour une pute. Lui, dans son nouvel uniforme. Signé Balmain. Au look américain, c'est ce qu'ils disent tous. Et ils aiment ça. Ça fait plus sérieux. Pas pour moi. Tous l'air de gardiens de sécurité. Je préférais les képis. Plus typiques.

— Vos papiers.

J'empoigne les doigts du flic. Les fourre entre mes cuisses. Sa mâchoire se décroche de saisissement. Il est tout jeune. Tout frais craché de l'Ecole de Police. Boutonneux et tout. Je lui force les lèvres. Du canon de mon revolver. Re-Pan ! Ça gicle. Mais pas en aussi joli qu'avec Alain Delon. Dans *Trois hommes à abattre.* Là, ça arrosait un miroir. Un éblouissement de rouge. Ici, c'est tout son acnéique visage. Sa gélatineuse cervelle. Tout. Qui m'éclabousse. C'est ça qui est chiant. Au cinéma. La mort toujours jolie. Ou n'importe quoi à la télé. Tout devient trop joli. Maintenant, pourvu que. Ses collègues des forces constabulaires. Pourvu qu'ils ne tardent pas trop. Et qu'ils n'hésitent pas à se servir de leur arme de service. S'il le faut j'en abattrai d'autres. Tous ceux qui seront à ma portée. Que les gendarmes se servent. Contre moi. De leur arme de service. Pardonne-moi mon amour. Tu n'auras pas tes croissants ce matin. Ni ta partie de tarot. Auguste Dromart, notre auguste propriétaire. Ou notre voisin de palier, le garçon sérieux. Ou l'une des dames âgées de l'immeuble. T'en touchera certainement un mot. Ou un collègue. Ou l'un de tes copains te téléphonera. Ou bien tu le liras toi-même. Dans la rubrique Société du Monde de demain. Une forcenée exécute plusieurs personnes dans le premier arrondissement. Je ne me résignais pas. A ce que tu ne me touches plus. A ce que tu ne me fasses plus jamais l'amour. Je ne me résignais pas. A te quitter. A te tuer. Comme à me tuer. Désespérée. D'espérer toujours. D'espérer encore. A chaque instant. Que tu m'aimes, que tu m'aimes, que tu m'aimes. Une souffrance. De chaque instant aussi. De constater que non. Que tu ne m'aimes plus. Alors qu'il aurait fallu pour continuer de vivre. Que je me délivre de tout espoir.

Tranches de repas

Je vais vous narrer l'histoire d'Ingrid, une érotomane folle qui a poursuivi, cinq ans durant, un collègue psychiatre. Dieu merci, je n'étais pas de garde ce jour-là, qui sait si cette mésaventure ne me serait pas arrivée à moi... Mais je la raconte néanmoins, cela pourrait intéresser certaines personnes de ma connaissance qui se piquent d'écriture (dit-il en glissant un œil en coulisse vers Léopoldine, qui a piqué du nez dans son Brouilly), et même s'il faut en toutes circonstances se méfier des écrivains, à plus forte raison des écrivaines.

Pamphile de Saint-Amant, ancienne figure de proue de l'antipsychiatrie. Son regard, à la fois désabusé et compatissant, rappelle à Léopoldine celui d'un Saint-Bernard, et en effet, pour sauver Léopoldine ou, du moins, c'est ce qu'elle imagine, pour la sauver, parce qu'il sent d'instinct sa noyade, son étouffement, et parce qu'il la sait friande d'anecdotes insolites, alors au repas, tandis que chacun attaquait son plat, Pamphile de Saint-Amant un onglet teriaki, Angèle un magret de canard aux trois poivres, Marcelin une entrecôte sauce roquefort et Léopoldine un poulet tandori, de Saint-Amant a poursuivi :

— Nous étions, Simon et moi, tous deux

internes à Sainte-Anne. Vous pouvez vous figurer que l'on y rencontre toutes sortes de cas... Un jour, donc, le téléphone sonne, on transmet l'appel à mon collègue Simon.

— Allô ?

— Vous êtes bien le psychiatre de service ?

La voix, féminine, est rauque, et encore enrocaillée par un accent allemand prononcé.

— Oui, répond Simon.

— Je m'appelle Ingrid. Je veux que tu me baises. Tout de suite.

Maintenant, il faut connaître Simon : c'est un homme à femmes, un infatigable coureur. Devant un coup si facile, ne se doutant de rien, il accepte, donne rendez-vous à cette Ingrid, découvre une créature de rêve, une blonde canon avec des seins en obus et des fesses en boulets, et il passe avec elle trois jours au paradis, cependant si épuisants qu'il décide par après qu'il n'a plus l'âge pour d'aussi violentes acrobaties, et qu'il serait mieux de s'en tenir aux secrétaires et aux assistantes comptables. Mais cette Ingrid sculpturale ne l'entendait pas de cette oreille. Pendant des années, ensuite, elle s'est ingéniée à l'embêter de toutes les façons possibles. Pour débuter, bien entendu, elle lui a volé son carnet d'adresses. Elle a téléphoné aux femmes du carnet en les injuriant, en vociférant avoir trouvé dans la poche de son mari des petites culottes brodées à leurs initiales. Ou bien, de sa voix dramatique, en touriste allemande, elle téléphonait à ces femmes en leur révélant qu'à la suite d'un effroyable accident dont elle avait été témoin, Simon se trouvait à l'article de la mort à l'hôpital, et les réclamait. Ou encore Simon se présentait à son travail et on lui disait que madame Guiguet, l'infirmière-chef, souhaitait lui parler dans son bureau, et Simon trouvait l'infirmière-chef, la cinquantaine ronde et embarrassée, qui se tortillait sur sa chaise. S'engageait alors un curieux dialogue.

— Une dame a téléphoné. Elle a dit que vous l'avez...

— Je l'ai quoi ?

Madame Guiguet, toute mal à l'aise, de souffler :

— La syphillis.

Encore un tour d'Ingrid. Il a eu beau changer de numéro de téléphone, d'adresse, Ingrid persistait à le pourchasser de son furibond appétit sexuel. Un cas d'érotomanie féroce.

Pamphile de Saint-Amant s'est esclaffé, Angèle a pouffé, Marcelin a ricanné, et Léopoldine a songé, en couvant des yeux Marcelin, qu'elle-même avait déjà commis bien pire que cette Ingrid. Elle a offert une autre cigarette à Angèle, qui a accepté, et s'est commandé un verre de calvados. C'était un dimanche de fin mai, dans un petit restaurant des Halles, une salle toute en longueur peinte d'oiseaux-lyres et de paysages fleuris et aquatiques dans le plus pur style baba-hippie 1970, où l'on déguste pour pas cher des plats à la mode comme le Gorbatchev Swing, une assiette de truite et saumon fumés. A la table du fond, la plus vaste, les deux couples : Pamphile de Saint-Amant et Angèle, Marcelin le frère d'Angèle, et Léopoldine. Les hommes ont parlé affaires, Angèle qui travaille avec de Saint-Amant a ponctué de son grain de poivre la conversation, Léopoldine n'a rien dit mais a offert de ses cigarettes à Angèle. Les deux petites filles de cette Angèle sont chez leurs pères respectifs pour le congé de la Pentecôte et cette absence des mômes permet au tandem Pamphile-Angèle de renouer un peu avec les conjoints-sans-enfants de leurs connaissances, dont Marcelin et Léopoldine, et c'est ce pourquoi ils sont tous à ce restaurant des Halles.

Le soir même, Marcelin et Léopoldine recevaient à dîner « les copines », soit Martine dite Titine, institutrice, ancienne maîtresse de Marcelin avant qu'il ne connaisse Léopoldine, une amie de Martine, Fanny dite Fafa, comptable, et Christine, photographe, la jeune compagne de Michel, un ami informaticien de Marcelin. Celui-ci s'est peu mêlé à la conversation, les quatre femmes et lui se sont régalés du lapin au Père Douillet préparé par Léopoldine, puis il a débarrassé la table et lavé la vaisselle pour ensuite se cantonner derrière son journal. Fafa a montré des diapositives de son récent voyage au Bénin. Léopoldine a été impressionnée par les images des étals de vendeurs de fétiches, des dizaines de crânes de singes, des demi-carcasses d'oiseaux séchés, des caméléons ratatinés rangés comme soldats en parade, puis Fafa a provoqué l'hilarité générale avec une imitation fort expressive du margouillat, un lézard familier de là-bas, d'une dizaine de centimètres, qui avance en roulant des épaules comme un Monsieur Muscle, et se plante devant vous en exécutant des flexions athlétiques tout en vous narguant à coups de tête. Fafa a aussi raconté la rumeur selon laquelle les margouillats ont disparu d'une certaine région du Bénin à cause des Chinois venus s'y installer, et qui en auraient consommé. Ce qui est possible puisqu'on dit, en Chine même, que les Cantonnais cuisinent tout ce qui a deux ailes sauf un aéroplane et tout ce qui a quatre pattes sauf une table. Puis Fanny a expliqué que son nouvel amant ne l'avait pas accompagnée à ce dîner parce qu'il lui fallait ranger son propre appartement.

— Je lui ai tout à coup balancé, ça m'est venu tout seul : Tu vois, mon Doudounet, si on demeurait ensemble, on ferait le ménage à deux !

Si vous aviez vu sa tête ! Il a dit Ha non ! Pas ça, pas ça ! Alors que j'aurais voulu qu'il s'écrie : Ha oui ma Doudounette, aménageons ensemble !

— Ménage à deux... a dit Léopoldine. Au moins, tu aurais pu évoquer une autre activité, plus inspirante, plus drôle.

— Comme « Chéri, tu pourras me faire l'amour tous les quarts d'heure si tu veux » ?

— Par exemple.

— C'est comme mon mec, a commencé Martine. Titine a la pêche. Elle a passé une petite annonce dans la rubrique Chéri(e)s de Libération, et reçu plus d'une centaine de missives dont, dit-elle, elle ne commence seulement qu'à exploiter le fond. Enfin, celui-là l'a rappelée, il a été gentil, il a acheté des croissants le lendemain matin et bricolé son sèche-cheveux défectueux.

— Ce gars-là me plaît bien, mais... Je trouve qu'il n'est pas ludique. Et ça va loin... jusque dans la baise, je ne vous raconte pas. Et bien, l'autre soir, vous ne savez pas ce qu'il me lance ? Martine, il faut que je te pose une question. Voilà : est-ce que tu m'aurais rappelé, si je ne t'avais pas rappelée ?

— Symptomatique, a déclaré Fafa. Il se sent fra-gile.

La conversation s'est peu à peu concentrée sur les hommes, qu'elles traitaient comme des gamins gâtés plus ou moins tapageurs. Léopoldine s'est dit qu'elle ignorait tout des hommes. Ou d'elle-même. Puis Christine la photographe a parlé d'une fois où elle a été consolé par une voix inconnue.

Elle était seule sur une île de la mer des Andaman, se sentait un peu paumée et loin de tout ce qu'elle avait aimé et connu. Elle marchait, plus que mélancolique, le long d'une plage déserte, lorsque le vent lui avait servi d'abord quelques notes, puis de grands pans de roucoulades humaines, et que cela avait pris plusieurs kilomètres avant qu'elle n'aperçoive la propriétaire de cette voix, une opulente cantatrice rousse qui marchait, elle aussi, le long de la plage, en vocalisant.

Puis les quatre femmes ont dégusté des Puits d'amour, ces fragiles dômes de Chantilly vernissés de caramel blond, achetés par Marcelin à Léopoldine, les sachant sa pâtisserie favorite, chez madame Duchemin de la rue du Faubourg-Saint-Antoine, une pâtissière aussi appétissante que ses desserts. Puis les copines sont reparties. Plus tard, dans la nuit, Léopoldine est sortie promener son caniche. Tandis qu'il gambadait devant elle, elle a pensé que quelque chose lui déplaisait chez cette Fanny, sans qu'elle sache quoi. Marcelin doit coucher avec elle, a-t-elle conclu, comme d'habitude. Elle en a questionné Marcelin à la première occasion, qui a tout nié. La seule fois où il ait jamais avoué avait entraîné de telles trombes de larmes chez Léopoldine qu'à présent, il niait tout avec une foultitude d'explications.

Elle s'est endormie tout contre lui, à rêver de la rousse cantatrice dont le contralto cuivré dominait les vagues, elle dont les amples et suaves trilles ne charmaient que la mer sourde et le ciel muet.

Pot de colle

Pierre Marmin s'est demandé Depuis quand ? Parce qu'il n'arrivait pas à se souvenir depuis quand ? voulait-il se débarasser de son épouse Brigitte Marmin. Son boulet personnel. Des années sans doute. Peut-être pas depuis le début de leur vie commune. Peut-être pas. Pendant une vingtaine de mois peut-être avait-il été heureux. Ou du moins l'avait-il cru. Mais c'était des années auparavant, il n'en gardait aucun souvenir. C'était du domaine de son épouse. Qui se chargeait de le lui rappeler. En moyenne un jour sur deux. Pas plus tard que la veille :

— Tu ne m'aimes pas autant. Pas autant qu'avant. Donc tu m'aimes moins. Donc tu ne m'aimes pas. Pourquoi ne le dis-tu pas ? Qu'on en finisse ?

Alors qu'il tentait de lire un article du Monde sur les problèmes mondiaux. Une sorte de palmarès des problèmes. Les Palestiniens. L'Ethiopie. Le Cambodge. L'Arménie. Le Soudan. Des problèmes réellement sérieux. C'était alors que Brigitte Marmin son épouse. Était venue s'enrouler sur le bras de son fauteuil. Avait chiffonné son journal. Pour lui seriner une autre variation. Toujours sur le même thème. Leur amour. Qu'il la négligeait.

De quoi se plaignait-elle vraiment ?! Pierre Marmin procurait à son épouse une vie agréable. Sans soucis matériels. Pierre Marmin revenait toujours du bureau à la même heure. Passait tous ses dimanches et ses nuits avec Brigitte Marmin. Oui d'accord il avait toujours eu des liaisons. Mais Brigitte Marmin n'en avait presque jamais rien su. La dernière en titre, une certaine Clémentine Bertière. Une secrétaire dans la trentaine. Ne dérangeait en rien la vie de Brigitte Marmin son épouse. Mais lorsqu'elle le dérangeait, lui, dans sa lecture du Monde. Surtout pour discuter de Notre amour. Ou rencore de Nous deux. Et terminer toujours sur le même refrain.

— Je ne te quitterai jamais. Je suis incapable de ne pas t'aimer. Je n'accepterai jamais de divorcer.

— Mais oui ma Puce.

Il voudrait la tuer. Non. Il *veut* la

tuer. Et c'est aujourd'hui. Ce 27 juin. Qu'il s'y met. Pierre Marmin avait son plan. Ou plutôt un plan s'était imposé à lui. Peu à peu. Le fruit des circonstances. Des facilités disponibles. Des manies de son épouse. Par exemple. Brigitte Marmin ne buvait que de l'eau minérale. Et toujours dans les mêmes verres. Ceux qu'on appelle des verres trave. Voilà comment elle était, Brigitte Marmin : elle instituait tout à coup dans sa vie un rite. Auquel tous devaient se soumettre. Y compris et surtout Pierre Marmin son mari. Donc, depuis des années elle se réservait les verres trave. Pour boire des litres et des litres d'eau minérale. Pierre Marmin se disait que c'était à cause de toute cette eau. Que la peau de Brigitte Marmin, si blême, empestait la charogne polluée au mercure.

— Tu sais à quoi j'ai pensé ? Lui avait-elle encore demandé.

C'était un autre soir. Entre un morceau de guerre Iran-Irak au petit écran et, dans son assiette, un morceau de Pont-l'Evêque à croûte lavée. Moelleux. Bien à point. De plus en plus rare. Remplacé par un avatar affiné à sec. Plus amer. Non il ne savait pas à quoi pensait Brigitte Marmin. Il savait seulement. Pour avoir tenté de la lire. Que c'était compliqué. Et surtout qu'il s'en moquait.

— La meilleure manière de maquiller un meurtre. J'ai pensé à ça pour quelque chose que j'écris. On le déguise en accident automobile. Avec douze mille accidents de la route par année. Et cent soixante-deux jours de brouillard annuels, soit presque un jour sur deux. La police n'a pas, ne peut pas, avoir le temps d'enquêter sérieusement. L'homicide passe inaperçu.

— Mais oui ma Puce, avait répondu Pierre Marmin.

Pourquoi avait-elle parlé de meurtre ? Mais c'était voilà longtemps. Brigitte Marmin avait appris depuis lors. Devant l'air profondément ennuyé de Pierre Marmin. Qu'il valait mieux lui adresser la parole le moins possible. Eviter les questions saugrenues. Ou de l'entretenir des signes. Que Brigitte Marmin ne manquait pas de discerner dans les plus banals incidents.

Pierre Marmin avait attaqué son plan en se procurant des insecticides. Dans une boutique de son quartier. Au doux nom de La Mère Cafard, Destruction des nuisibles. Depuis 1898. Il lui plaisait, à Pierre Marmin, de considérer son épouse comme une erreur de la nature. Une erreur nuisible. Question de fraterniser, il avait raconté à la Mémé Cafard qu'il demeurait au-dessus d'un restaurant.

— Alors vous comprenez..., avait-il ajouté d'un air entendu.

Et ce n'était pas inexact : Pierre et Brigitte Marmin habitaient bel et bien au-dessus d'*un ristorante italiano* comme son nom ne l'indiquait pas. A la Fourchette argentée. Mais pas le moindre animacule dans l'appartement. La Mémé Cafard avait hoché la tête de concert avec lui. Comment se serait-elle doutée que Pierre Marmin appelait son épouse Ma Puce ? Aujourd'hui. Ce 27 juin. Pierre Marmin achèterait autre chose à la Mémé Cafard si compréhensive. De la mort-aux-rats. A cause d'un rongeur aperçu à la cave. Ce que Pierre Marmin n'aurait pas mentionné c'est que ce rongeur femelle. Dormait en fait toutes les nuits à côté de lui. Il y a des limites à l'écœurement. Fût-il celui d'une destructrice professionnelle de nuisibles.

— J'ai ce qu'il vous faut, avait dit cette dernière. Ça date de 1921. Très très efficace. Et complètement inodore.

— Sous-produits arsenicaux. Bien bien

bien, s'était-il entendu lui répondre tandis qu'il parcourait la notice.

Ce soir. Cette nuit. Lorsque Brigitte Marmin dormirait. Il en verserait dans les verres trave. La mort-aux-rats, incolore, sécherait. Invisible. A chaque gorgée d'eau minérale. Elle s'empoisonnera. Elle crèvera pendant quelques mois. Paralysée. Abêtie. Sous ses yeux. Quel plaisir. Les médecins ne comprendront pas. A moins que l'un d'eux, féru de criminalogie. N'aperçoive les stries que l'arsenic ne manquera pas de produire sous ses griffes. Mais Brigitte Marmin préfèrerait mourir que de ne pas se vernir les griffes. En rubis. Une coquetterie qui lui coûtera cher, avait songé Pierre Marmin. En souriant. Bien qu'en fait elle soit déjà paralysée. Dans la tête. Il n'avait jamais connu quiconque aussi immobile que son épouse. A moins d'être comateux ou cactus en pot. Depuis qu'elle s'était targuée de devenir femme de lettres !

Depuis ce jour, Brigitte Marmin son épouse avait cessé de bouger. Elle s'était boulonnée elle-même dans l'écriture. A la journée longue, elle maugréait à voix basse devant son écran cathodique. Au début Pierre Marmin y avait cru. Bien qu'elle refusât toujours de lui lire ses écrits. Il portait à la poste. Et continuait de porter. De multiples enveloppes grand format et bien lourdes, expédiées à des maisons d'éditions. Des théâtres. Des stations de radio. Peu d'institutions accusaient même réception. Sinon toujours par des lettres de refus. Alors son épouse s'était arrangée avec la factrice. Pour que cette dernière lui monte le courrier. Pour cacher à son mari ces lettres de refus. Puis un autre jour, Brigitte Marmin avait insisté pour que Pierre Marmin son mari lise l'une de ses œuvres. Il s'était endormi après une page et demie. C'était de la recherche comme on dit lorsqu'on ne comprend pas trop ce dont il s'agit. Il n'arrivait pas à croire que Brigitte Marmin son épouse consacrât tout son temps à ces pages incompréhensibles. Malheur à l'époux d'une plumitive monomane : vie assommante garantie.

Au début il y avait cru. Il la voyait s'installer tous les matins devant sa machine à écrire. La retrouvait là tous les soirs. Puis elle avait exigé d'emporter son dactylo avec elle. Partout. En visite ou en vacances. C'était ainsi que Pierre Marmin avait transporté. Ici et là. Une Olivetti électrique à boule de vingt-huit kilos. Ensuite un premier ordinateur de quatorze kilos. Finalement son dernier modèle, six kilos. Dit portatif. Bien que Brigitte Marmin ne se déplace pratiquement plus hors de leur chambre. Où elle avait établi ses quartiers généraux.

— Je ne vois pas pourquoi, à partir d'aujourd'hui, j'accepterais la moindre invitation. Je n'ai plus aucune confiance dans le genre humain, avait-elle ajouté. Après toi, je n'aimerai plus jamais personne. Parce qu'avec toi j'aurai connu le meilleur. Et le pire aussi.

— Pffff..., avait soupiré Pierre Marmin.

C'était d'un lassant ces sermons. A présent Brigitte Marmin ne sortait plus de son mutisme. Que pour éructer ce genre de réflexions aigres-douces.

— Tu veux un verre d'eau minérale ma Puce ?

Elle maigrissait, Brigitte Marmin. Se tassait. Pierre Marmin contemplait. Chaque jour. Les progrès de l'empoisonnement arsenical. La peau de Brigitte Marmin son épouse. Il la voyait se jaunir. Se plisser. Se riduler. Se froisser. Ses yeux se caver. Ses seins se flétrir. Ses fesses s'aplatir. On aurait dit qu'elle se dissolvait, aspirée de l'intérieur. De plus en plus grue maigrichonne. Qui puait du bec. Alors que la Mémé Cafard lui avait dit inodore. Mais elle ne pouvait pas prévoir,

Mémé Cafard. L'haleine. Rancie. Infecte. De l'oiseau nuisible qu'on empoisonne. Puis Pierre Marmin s'était souvenu que Brigitte Marmin son épouse. S'était déjà comparée elle-même à un volatile. Durant leur dernière sortie de couple. Une fin de semaine chez Laurent Dubois, son ami. A la campagne. Dans le Sud. Ils avaient plaisanté. C'était un peu avant le temps des Fêtes. Ils parlaient d'embêter leur gérant de banque respectif. En leur offrant une dinde *vivante.*

— Encore mieux, une oie ! s'était exclamé Laurent Dubois. Une oie c'est fidèle. Ça s'attache ! Ça poursuit son maître partout !

— Je verrais bien ça dans mon entrepôt, tiens donc ! Avait répliqué Pierre Marmin. Ça mettrait de l'animation chez les employés.

Les deux hommes avaient éclaté de rire. Quand Brigitte Marmin son épouse, qui n'avait jusque-là pipé mot, de sa voix haut perchée :

— Mais tu n'as pas besoin d'une oie, mon chéri. Tu m'as moi. Je suis ton oie. Fidèle. Sotte. Et qui voudrait te suivre partout.

La conversation était subitement tombée à —28°. La grue teigneuse. Pierre Marmin en voulait à son épouse. Il lui en voulait d'exister. Mais à présent qu'elle pourrissait sur place. Il en tirait moins de plaisir que prévu, Pierre Marmin. L'imprévu c'était aussi cet acharnement de Brigitte Marmin. A vivre. Seules ses mains restaient belles. Ses doigts fuselés s'affinaient encore. Se porcelainisaient. Mettant en valeur le rubis verni de ses griffes, toujours irréprochables. Brigitte Marmin avait consulté plusieurs médecins. Puis des spécialistes. Qui se perdaient de présomptions en hypothèses. Brigitte Marmin continuait de se décomposer. Continuait d'écrire. Continuait de vouloir faire l'amour.

Le sexe ! C'était à cause du sexe que Pierre Marmin haïssait le plus Brigitte Marmin. Sa quête incessante. Sa soif inextinguible de sexe. De son sexe. Pierre Marmin ne pouvait jamais approcher son épouse à moins de trois mètres. Sans qu'elle ne cherche à le titiller. A le pétrir. A le tripoter. Gluante. Il la trouvait gluante. Et visqueuse.

— Mais prends-toi un amant. Ou plusieurs. Lui avait-il un jour jeté. Excédé depuis longtemps.

— J'ai bien essayé, avait-elle pleurniché. J'ai vraiment essayé tu sais. Mais pas un. Pas un qui me plaise autant que toi.

Même la nuit. Elle s'accrochait à lui. Souvent. Trop souvent. Il s'était éveillé en elle.

— Le viol n'existe pas entre conjoints. Lui avait-elle grogné après l'acte.

C'était vers les quatre heures du

matin. Après l'une de ces sessions. C'était son heure à elle pour le tirer de son sommeil. Pendant longtemps. Trop longtemps. Il n'avait pas résisté. A présent il la repoussait sans cesse. Comme un nouveau jeu. L'indifférence. De cela aussi Brigitte Marmin se plaignait. Ce qui restait de Brigitte Marmin. S'acharnait encore à lui quêter ses caresses. A l'ennuyer.

— Le garagiste a téléphoné hier, avait-elle dit un matin.

Tandis que Pierre Marmin cherchait à s'isoler. Derrière le vrombissement de son rasoir électrique. Mais la voix de Brigitte Marmin avait percé par-dessus.

— Il faut que tu la donnes pour révision. Je t'ai pris un rendez-vous pour cet avant-midi.

— Oui ma Puce.

— C'est à dix heures trente. J'ai promis que tu y serais. Tu y seras ?

— Mais oui ma Puce.

— Tu me le promets ?

— Oui oui.

Qu'est-ce qu'elle avait à le fatiguer avec ce garagiste ? Brigitte Marmin son épouse se décomposait. Depuis plusieurs mois déjà. Il triplerait la dose. Dès ce soir.

Pierre Marmin était à son bureau. Il avait bu son expresso de quinze heures. Lorsque la réceptionniste lui a communiqué un appel.

— Une dame. Elle dit que c'est personnel.

— Tu n'es qu'un salaud ! s'est égosillée une voix féminine stridente. Salaud et lâche. Ne me rappelle plus jamais !

On avait raccroché. Pierre Marmin avait eu le temps de reconnaître Clémentine Bertière. Sa maîtresse. Il avait tenté de la rappeler à son bureau. On l'avait écarté. Mais ?!? Bien sûr il s'était peu occupé d'elle ces derniers temps. Mais il lui avait fait parvenir un cadeau. Un joli poudrier. Gravé à ses initiales. Qu'est-ce qu'il lui prenait Clémentine Bertière ? C'était à cause de Brigitte Marmin, Pierre Marmin le pressentait confusément. Sans qu'il ne puisse comprendre comment, puisque Brigitte Marmin son épouse ignorait tout de Clémentine Bertière. Une nouvelle bouffée de haine. Oui il fallait en finir. Puis sa haine s'était muée en froid. En une sorte de paix. De sérénité glacée. Il mettrait fin à cette inutile existence. Qui l'empêchait de vivre, lui, Pierre Marmin. Brigitte Marmin, il ne la voyait plus autrement qu'en grue. Une grue squelettique. Mais elle n'avait pas toujours été ainsi. Lorsqu'elle avait changé du tout au tout. Et entrepris ses activités littéraires, voilà quelques années. Quand il lui avait tout avoué.

Voilà quelques années. Une liaison. Ce n'était pas la première, depuis qu'il vivait avec Brigitte Marmin. Pierre Marmin s'était entiché plus que prévu de cette jeune maîtresse. Qui lui semblait l'opposée de Brigitte Marmin. Puis sa jeune maîtresse l'avait plaqué. Il en avait souffert. Beaucoup souffert. Alors peut-être pour que quelqu'un d'autre souffre à sa place. Ou à cause de lui. Il avait tout avoué à Brigitte Marmin. Pourquoi cette liaison ? Et pas les autres ? Alors que Brigitte Marmin croyait qu'il lui était fidèle. Peut-être espérait-il aussi que Brigitte Marmin le quitterait. Qu'il pourrait refaire sa vie. Non, Brigitte Marmin ne l'avait pas quitté. Elle avait pleuré. Des Niagara de larmes. Que rien n'endiguait. C'était alors qu'elle avait commencé à écrire. A lui devenir insupportable.

Sans plus y penser. Pierre Marmin avait cherché dans son portefeuille. Une carte. Une carte rose qu'il conservait toujours. Au cas où. Il avait soulevé le combiné. Composé le numéro inscrit sur la carte rose. Réservé une chambre pour deux au Donjon. Sur la route de Fécamp, près d'Etretat. Pour le samedi suivant. Une ancienne gentilhommière aux vieilles pierres feuillues de lierre. Un hôtel adorable. Un hôtel parfait pour les rendez-vous illicites. Puis il avait envoyé cinq douzaines de roses à Clémentine Bertière. Lui donnant rendez-vous là, au Donjon sur la route de Fécamp. Samedi à dix-sept heures. D'ici là. Il aurait amplement le temps d'occire Brigitte Marmin. De la gaver de mort-aux-rats. Directement du flacon. Coupée de larges rasades de soude caustique. Qu'elle sente son gosier se rétrécir.

Comment disposer du cadavre ? Pendant un moment il avait joué avec l'idée de l'ensevelir sous des gravats. D'un chantier qui n'avançait pas, rues Saint-Honoré et Vauvilliers. Mais maintenant il était fixé. Il poignarderait le cadavre de Brigitte Marmin. Une fois refroidi, pour éviter le sang partout. Puis le lesterait de chaînes et jetterait le tout du haut de la falaise. D'Etretat. Dans la mer. Justement, sa voiture était en ordre. Pierre Marmin avait déjà lu un reportage sur les méthodes de la mafia américaine. Où il avait appris qu'un corps bien troué. Et lesté. Ne remonte pas à la surface. Ce journaliste-là n'avait pas travaillé pour rien.

— Ça sent drôle ici.

Quand il était rentré à la maison ce soir-là. Il avait été frappé par une odeur ténue. Acre. De calciné. Puis n'y avait plus porté attention.

— J'ai cassé trois verres aujourd'hui. Lui avait dit son épouse. Tu ne trouves pas que c'est un signe ?

Pierre Marmin avait soupiré. Levé les yeux au ciel. Haussé les épaules.

— Qui c'est cette Clémentine ? avait tout à coup demandé Brigitte Marmin.

— Je ne connais aucune Clémentine. Pourquoi ?

Pourquoi Brigitte Marmin lui parlait-elle de Clémentine Bertière ? Pourquoi précisément aujourd'hui ? Et comme si elle avait deviné son interrogation, elle ajoutait :

— J'avais oublié de t'en parler. Un message pour toi sur le répondeur. Avant-hier.

— C'est un faux numéro.

— Ça s'adressait bien à toi. Ça disait « Mon cher Pierre Marmin. Tu ne me donnes pas signe de vie. Tu me fais beaucoup de peine. Je te remercie beaucoup

beaucoup. Pour le sensuel cadeau. Des tas de bisous. Clémentine. »

— Je ne sais pas de qui il s'agit.

Pierre Marmin avait empoigné son Monde. S'était réfugié aux cabinets. Encore cette odeur de calciné. Une vague impression. Fausse peut-être. Ou était-ce les yeux de Brigitte Marmin. Qui, enfin, brasillaient ? Fausse impression. Voilà des années que les yeux de Brigitte Marmin. Cendreux. Avaient perdu tout éclat. Sauf sous les larmes.

Quand Pierre Marmin était sorti de sa retraite, tout semblait normal. Dans la soirée, il avait annoncé à son épouse.

— Je pars vendredi pour Etretat. J'ai des clients à voir.

— Je peux venir avec toi ?

— Mais tu n'es pas en état. Regarde-toi. Tu arrives à peine à te tenir assise.

— J'aimerais bien y aller. Maupassant y a séjourné.

— Ma Puce ! Tu n'es pas raisonnable. Pas raisonnable du tout.

Brigitte Marmin s'était tue. Le silence. Comme avant l'orage. Avant une mise à mort.

— Tu ne connais pas de Clémentine. Pourtant tu as inscrit une Clémentine Bertière page 37. Dans ton carnet d'adresses. Avenue Jean-Jaurès.

— Tu m'espionnes à présent !

— Je voulais tout te cacher. Comme toi avec moi. Mais j'en suis incapable. Tu n'as pas remarqué l'odeur de brûlé ? Les traces de suie dans la cuvette ? Non. Tu n'es pas observateur. Ce n'est pas un message que Clémentine Bertière a laissé sur le répondeur. C'est une lettre que tu as reçue. Avant-hier. Ecriture typiquement femelle. J'ai pensé d'abord la détruire sans la lire.

Puis je l'ai lue. Si c'était anodin je t'avouerais tout. Sinon je la détruisais et tu n'en saurais rien.

— Je déteste me sentir épié, avait rongnognné Pierre Marmin.

— Je suis fatiguée. Je vais me coucher. Tu devrais lire les Messages/Contacts. Dans le Libération.

Qu'avait-elle voulu insinuer ? Le Libération. Avec une nonchalance délibérée. Pour tomber sur l'entrefilet. Qui lui avait sauté à la figure : « A Clémentine B., de l'avenue Jean-Jaurès. Je ne t'ai pas donné signe de vie parce que j'avais honte. Je suis sidéen. Impossible de te l'avouer. Voilà. Si tu me traites de salaud, je comprendrai. Signé P.M. »

La raison de cet appel. De Clémentine Bertière. Cet après-midi. Son épouse lui paierait cher.

Brigitte Marmin dormait déjà. Pierre Marmin s'était allongé sur elle. Par-dessus les couvertures.

— Ma petite Brigitte, avait-il murmuré. Pour la première fois depuis des années il l'appelait de son prénom. Il l'avait senti sourire, dans les ténèbres. Il avait senti le corps de son épouse se détendre. S'ouvrir. Trop heureux de l'accueillir. La grue en chaleur. Pierre Marmin avait posé l'oreiller sur le visage. Souriant. De Brigitte Marmin son épouse. Quelques sursauts. En fait, il s'était étonné, Pierre Marmin. Que ce soit si facile. Elle était morte. Pendant une demi-heure, il l'avait vérifié à une vingtaine de reprises. Si elle était bien morte. Elle l'était. Se refroidissait.

— Pas de temps à perdre. S'était-il dit. A voix haute.

Il lui fallait agir vite, avant que la *rigor mortis* n'immobilisât immuablement Brigitte Marmin. Il l'avait repliée sur elle-même. Puis fourrée dans une vieille poussette de marché. Dont elle se sert. Dont elle se servait. Pour ses courses. Minable paquet d'os tassés dans le sac de vinyle, au milieu de miettes de pain rassis et d'anciens reçus de caisse. Avant de partir, Pierre Marmin avait affûté son Laguiole. Dont le manche corné s'était moulé à sa paume. Le poids rassurant de son Laguiole. Il avait pensé à son vieux père. Qui ne sortait jamais, ni n'utilisait rien d'autre. Que son propre Laguiole. Conservé de l'âge de dix-sept ans à sa mort, à l'hospice. Qu'aurait dit son vieux père de tout ça ? Il aurait désapprouvé, bien entendu. Bien qu'il n'ait pas été lui-même exempt de ses propres incartades. Après tout, il avait abandonné une femme et un enfant, avant d'épouser sa mère. Comme l'aurait déclaré Brigitte Marmin. Qui aurait cité Hemingway. Chacun ses bonnes raisons.

Pierre Marmin roulait depuis plusieurs heures. Conduite malaisée. Brouillard nocturne qui réduisait la visibilité à trente mètres. Mais Pierre Marmin ne ralentissait pas. Il lui tardait d'arriver bientôt à la mer. Pour y jeter le cadavre de Brigitte Marmin. Il y serait bientôt. Puis la nuit s'est épurée. Etoilée. Avec une lune en rognure d'ongle. Pierre Marmin avait allumé le poste. Quand on avait annoncé :

— Nous vous avons présenté ce soir un accident d'auto. Un texte de Brigitte Marmin.

— Tiens donc ! s'était-il exclamé. Brigitte ne m'avait pas dit qu'elle avait placé quelque chose à la radio.

Il avait voulu négocier un virage. En route vers Fécamp sur la départementale 11. Les freins dépourvus de mordant. Son automobile en travers de la route. Capotée sur le bas-côté. Repliée contre un peuplier. En feu. Dans quelques instants. A l'intérieur Pierre Marmin, incapable de bouger. Et puis même si. Les portières coincées. Les vitres électriques. Donc impossibles à descendre. Dans quelques instants. L'explosion. Les flammes dévorer ses vêtements. L'allusion de Brigitte Marmin. Sur les meurtres maquillés en accidents de la route. Dans quelques instants. Pierre Marmin va se cloquer. Se boursoufler. Dans quelques instants. La Durit percée par Brigitte Marmin, qui d'autre ? Elle n'aura pas profité de son crime. Ni lui du sien, du reste. Dans quelques instants. Quelle ironie. Quelle amertume. Quelle fatigue. Pierre Marmin pense à Brigitte Marmin. A sa bouche, à son sexe. Il pensait encore à elle. Dans quelques instants. Peut-être encore temps de... ?! Elle lui collerait donc toujours au corps. A l'âme. Dans quelques instants. L'insupportable douleur. Dans quelques instants. Son boulet personnel. Son pot de colle oui. Attachée à lui jusqu'en enfer. Et pour l'éternité. Dans quelques instants. Pierre Marmin est mort.

Il était une fois

Il était une fois. Un été, un dimanche de fin juillet, dans le jardin d'une banlieue avec, à la lisière du jardin, une haie de peupliers d'un vert qui semble parfait, un ciel d'un bleu qui semble immuable, et une brise molle, tout ce qui donne l'illusion de la campagne, durant un dîner entre amis, sous une tonnelle de vigne vierge, autour d'une table massive en granit, entre des couples qui se fréquentent parce que les maris partagent des intérêts professionnels, pendant que les femmes échangent sur leur patrimoine séculaire, enfants, maladies, nourriture. Mais l'une des femmes mange à peine, parle à peine, et l'on comprend à son accent qu'elle est étrangère. Avec ses paupières le plus souvent baissées, ses épaules dénudées, ses cheveux bruns ramassés en chignon caché sous un chrysanthème de soie blanche, la finesse de son cou ainsi dégagé, sa nuque ployée, elle évoque une plante grêle, marcescente, au bord de l'étiolement. Puis elle porte sa tête sur l'épaule de son amant, lève les yeux sur lui, noirs les yeux, flaques sombres au fond d'un puits et c'est bien ainsi qu'elle se sent, au fond d'un puits. Là-haut la vie, les bruits de la vie, des bribes de conversations, des rumeurs, inaudibles, inaccessibles, voilà où son amour l'a conduite, au fond d'un puits, alors qu'en dehors du puits on torture, on sud-africanise, on affame, et son propre pays toujours colonisé, craintif, déchiré, et c'est tout ce qu'elle voit, l'étrangère, la déchirure entre les êtres. Elle sait bien, pourtant, le peu d'importance de sa propre déchirure, elle en sait tout le ridicule, toute la petitesse, mais la déchirure toujours là, la fêlure, la cassure, l'étrangère referme les yeux, ce n'est pas le moment, ce n'est jamais le moment, l'hôtesse dit Voyons nous sommes entre amis. L'étrangère boit un peu du muscadet qui croupit dans son verre, pendant que son amant s'est accoudé à la table de granit, lui a prêté son épaule. Il fume un cigarillo, discute marges de bénéfices, déguste un armagnac, tandis qu'elle, avec ses yeux noirs fichés dans son cou à lui, voilà qu'ils se rembrunissent encore, que son cœur bat un peu plus vite, un peu plus fort, comme à chaque fois quu'elle regarde son amant un peu longtemps, mais quelqu'un prend en photo les convives, réclame de l'étrangère qu'elle se lève, lui réclame un sourire. Un dernier sourire avant mon suicide, a dit l'étrangère, tout le monde a ri. Pourquoi tu parles comme ça lui a demandé son amant. Parce que, et elle n'a rien ajouté de plus à ce Parce que, parce qu'il l'a trompée, parce qu'il lui a menti, des mois et des mois durant, parce qu'elle lui en veut, parce qu'elle s'en veut encore plus à elle-même, hier de l'avoir cru lorsqu'il mentait, aujourd'hui de l'aimer toujours. D'ailleurs ses rares amies, sa sœur, des inconnues aussi, d'autres femmes rencontrées dans les transports en commun, ou dans les bars, toutes, elles lui ont toutes recommandé de le quitter, la plus âgée d'entre elles lui a même dit Tu verras, un jour, tu finiras par prier, prier de ne plus l'aimer. Mais on ne prie pas, au fond d'un puits.

Il était une fois. Un été, un dimanche de fin juillet, dans le jardin d'une maison bourgeoise, durant un dîner entre amis, avec du muscadet, de l'armagnac, Voyons ce n'est pas le moment, ce n'est jamais le moment, c'est alors que son amant s'est retourné vers elle, qu'il aurait vu ses yeux noirs rembrunis, il l'aurait embrassée là, à la naissance des cheveux, alors elle lui aurait dit dans l'oreille Viens, suis-moi. Elle se serait levée de table, aurait pénétré dans la maison bourgeoise et, dans la pénombre, serait montée jusque sous les combles, jusqu'à une petite pièce de débarras, avec un matelas relevé, des boîtes de carton, ombres et poussières, il l'aurait rejointe là, l'aurait retrouvée là, appuyée contre une paroi, la chevelure dénouée, le chrysanthème de soie blanche par terre, retenant sa robe d'une main, mordant son bras. Il se serait rapproché d'elle, tout son corps sur elle, son poids sur elle, elle qui cherche sa langue, qui la boit, sa robe est tombée, elle se presse contre lui, l'enserre comme si elle voulait s'amarrer à lui, comme à l'orée d'une tempête. Sa bouche toujours sur la sienne, ses mains à elle sur son ventre à lui entre ses cuisses, elle le saisit, leurs lèvres se déjoignent, tant de douceur entre ses paumes qui palpite, l'émeut, mais deux doigts de lui la serfouissent déjà, qui la jettent dans son plaisir et l'y rejettent. Alors il s'enfonce en elle, s'y affûte, la lime, la râpe, l'entaille, l'ébrase. Sueurs, sanglots. Et spasmes.

Il était une fois. Un été, un dimanche de fin juillet, dans une maison bourgeoise, après un dîner entre amis, du muscadet, de l'armagnac, Voyons ce n'est pas le moment, elle serait montée jusque sous les combles, dans une petite pièce de débarras où la noirceur à présent s'épanche. C'est la femme qui, après, s'est séparée de lui, pelotonnée à ses pieds, puis elle a enlacé sa jambe, haussé son visage jusque-là, l'homme s'adosse, il veut et il ne veut pas, il s'abandonne, et longtemps elle et lui sont demeurés ainsi, le visage de la femme dans la moiteur saumâtre de l'homme, quand il a jailli dans sa gorge il a gémi Oui oh oui je t'aime. Puis elle lui a dit Va-t-en, laisse-moi seule. Alors il est reparti rejoindre les autres pendant qu'elle pleure, qu'elle se voudrait remplie, inondée, dégoulinante de lui. Tout cela la dépasse, la baîllonne, l'embastille et elle ne cherche même pas à s'en évader. Elle a donc rejoint les autres et lui, son amant, il a deviné qu'elle souhaitait repartir au plus vite. Elle et lui ont remercié l'hôtesse, et tandis qu'il conduisait sur la voie rapide, elle lui a demandé de la caresser et alors, une main sur le volant, de l'autre il l'a fait jouir.

Il était une fois. Un été, un dimanche de fin juillet, dans une maison bourgeoise, après un dîner entre amis, du muscadet, de l'armagnac, Voyons ce n'est pas le moment, ce n'est jamais le moment, elle serait montée jusque sous les combles, dans une petite pièce de débarras, ombres et poussières, là où il ne l'a pas rejointe, et après, dans la voiture, après qu'il l'eût fait jouir, elle a remis sa tête sur l'épaule de son amant et elle a songé, non sans déplaisir, que c'était tout ce qui comptait pour elle. Le sexe, sa religion. Sa passion, un poison. Aimer, un crime. L'amour, son seul conte de fée.

Turbulences mixtes

Nuit poisseuse d'août. Entre le 28 et le 29. Rêves brumeux, gazes pailletées qui se chiffonnent lorsque l'homme déplace son corps dans le lit. A la vaine recherche d'un peu de fraîcheur. Mais il finit par se lever. Avec la vague idée de boire un verre d'eau. Se cogne à la porte de la salle de bain. Alors qu'il ne la ferme jamais. Alors que ce n'est pas lui qui. Il y entre tout de même, sans plus se poser de questions. La clarté l'éblouit. L'inonde. L'envahit. La fenêtre découpe un carré étincelant de soleil. L'homme entend une femme qui chantonne... In a dream... Was in Paris... Il ne comprend pas bien. La voix de la femme est couverte par des bruits d'eau. Lorsqu'il la distingue enfin. Elle lui tourne le dos. Nue. Inclinée sur une bassinette accrochée au mur, elle se rafraîchit. Fait gicler l'eau sur elle. L'eau en flaques sur le crépi. Et sur le carrelage.

On survolait le Groenland, le film achevé depuis une demi-heure, je n'avais pas réussi à le visionner car j'étais placée trop loin, dans les derniers sièges, dans la queue. J'avais beau avoir avalé deux somnifères je n'avais pas dormi, mais pas veillé non plus, je revenais des lavabos lorsqu'il s'est produit un Boum ! J'ai vu éclore un trou dans le plafond, un instant, un trou sur le ciel pâle de l'aube, puis très vite c'est devenu comme dans un nuage, les masques à oxygène sont tombés, une femme a glapi, une hôtesse a braillé dans le haut-parleur de nous calmer, d'attacher nos ceintures de sécurité, de prendre la position Crash, quand soudain l'impression que l'avion se renversait sur moi, je me suis retrouvée par terre, ai vu un bébé bouler dans l'allée, puis un bras s'étirer et rattraper le bébé, le chariot du service renversé au milieu des bouteilles brisées, une larme d'alcool couler vers moi, une volumineuse larme grenat, ventrue, et sirupeuse, s'avancer vers moi, et j'ai pensé bêtement : On a un accident d'avion, et j'aurais été censée voir défiler ma vie mais me rappelais seulement que la société Boeing avait recommandé, recommandé, mais pas ordonné, la révision de ses appareils, le vent sifflait, les oreilles m'ont chuinté jusqu'à l'intolérable, ma tête, non ! ma tête qui se lézarde.

Blanc, tout blanc. Je veux me retourner, impossible de bouger, gémissement,

gémissement faible, éloigné, même soulever les paupières je ne peux pas, entre mes cils j'entrevois quoi? Des barreaux aux fenêtres, des murs griffés de graffiti. Dans quelle sorte d'hôpital? Mais tout à coup chuchotements feutrés, suivis de portes, je les aperçois, les bottes des Pasdar, et entre elles une loque dans son *montoe* ensanglanté, une loque qui laisse derrière elle des traînées noirâtres et que les bottes rejettent sans ménagement, comme un paquet de linge sale, sur la paillasse près de la mienne. Puis les Pasdar échangent une plaisanterie graveleuse, sortent en riant, alors avec de minutieuses précautions je tourne la tête sur la loque, ou plutôt sur ce qu'il en reste, recroquevillé, et le peu de peau dénudé, un poignet, un mollet, est bleui de coups, lorsqu'un pan de son *montoe* découvre son visage, un visage de seize ans à peine, l'arcade sourcilière fendue, les lèvres boursouflées, qui articulent je m'appelle Mona, je m'appelle Mona, mais je lis sur ces lèvres plus que je ne les entends, je lui dis

Chash, oui, je te comprends, et avant de mourir, Mona a eu ce dernier geste : elle a arraché son tchador. Puis j'ai compris qu'on criait mon nom, qu'on m'envoyait chercher, que c'était mon tour, je m'évanouis.

L'homme entend une femme qui chantonne... In a dream... Was in Paris... Des bruits d'eau. Quand il la distingue enfin. De dos. Nue. L'eau en flaques sur le crépi. L'homme ne voit pas le visage de la femme mais il la reconnaît. Il est certain de l'avoir déjà rencontrée. Il reconnaît sa voix. Si proche. Si familière. Et pourtant d'autrefois. La femme se penche. Se relève. Ses fesses rebondissent, sa vulve se déclôt et se clôt. Le cœur de l'homme tape dans sa poitrine. Excitation ? Intoxication ? L'homme cherche derrière lui la porte ouverte-fermée. Mais derrière lui les murs ont terriblement reculé. Se perdent dans l'obscurité. Alors que le carré de soleil. Alors que cette femme qui s'adonne à ses ablutions en chantonnant. Par la fenêtre, un champ vert acide qu'incendient des vagues de coquelicots.

Attiré. Accroché. Poussé vers ce dos de femme. Elle cale docilement ses fesses contre lui. Elle murmure, à présent. Ses mains à elle rejoignent les siennes. S'y attachent. Les conduisent à ses seins. A son ventre. L'homme la caresse. Elle se retourne. Mais enfouit son visage dans son cou. La femme contre le mur de crépi. Il la laboure des doigts. Il la sent qui vient. Qui jouit. Qui n'est plus que sexe. Feu. Houle.

Chaleur, soleil de plomb liquide, le sable cuit la plante des pieds, je danse, on est des milliers à danser, à psalmodier, pour accompagner à sa dernière demeure Smpho, dix-neuf ans, Smpho dont les frères portent le cercueil de mauvaises planches grises, les planches de nos baraques, Smpho qui, alors qu'elle tentait de s'enfuir, a reçu une balle dans le dos, tirée par les autorités, les autorités qui ont interdit tout rassemblement, même lors des funérailles, les autorités interdisent tout mais se donnent le droit de débarquer dans nos quartiers pour nous battre et nous arrêter. Un de leurs évêques a déclaré que les autorités ne comprennent pas la « profonde rancœur » des banlieues noires, depuis quand chercherait-on à comprendre ceux qu'on tient en esclavage ? Aujourd'hui on est des milliers à danser et, ce soir, on sèmera les flammes, et rien ni personne ne nous arrêtera, mais des vrombissements de moteur, les autorités, les autorités chargent, foncent sur nous avec leurs camions blindés, leurs fusils automatiques, leurs grenades, leurs *sjamboks* ou fouets à nègres, alors qu'on ne détient que des bouts de bois, même pas des gourdins, on s'éparpille, on lance des pierres, les coups de feu crépitent, je cours, je cours en me couvrant la tête avec les bras, lorsqu'une garcette s'abat sur mon épaule, m'envoie par terre, les coups qui grêlent sur moi, les coups sans nombre sur moi, les autorités, ils sont cinq ou six qui s'acharnent, je hurle, les insulte, le sang dans mes yeux.

Midi. Temps pluvieux mais d'une ineffable douceur, comme une ultime journée de printemps avant les inévitables grands froids, devant l'ancien palais de justice de Montréal et sur la petite rue Saint-Gabriel qui le jouxte, armée de parapluies et d'imperméables, s'amasse la foule silencieuse, grave, recueillie, à travers les quatre séries de chicanes dressées pour la contenir, s'attroupe le petit peuple, ceux et celles qui ont réussi à se libérer de leurs occupations en plein après-midi pour rendre un dernier hommage à leur ancien premier ministre, car aucune des administrations fédérales, provinciales ou municipales n'a cru bon de décréter une journée de deuil national pour celui que l'on appelle désormais le père du Québec moderne. Ici se retrouvent ceux et celles qui se sont reconnus en lui, ceux et celles que l'on disait nés pour un petit pain, les porteurs d'eau, les locataires dans leur propre pays, ouvriers en chômage, fées du foyer, jeunes qui sèchent ou qu'on a libérés de leurs cours, facteurs et chauffeurs d'autobus ayant achevé leur routes et encore en uniforme, vieilles dames et vieux monsieurs appuyés sur leurs cannes, artisans, artistes, et aussi des Québécois de souche plus récente, Haïtiens, Vietnamiens, Sud-Américains, et sur tous les visages la même tristesse, la même émotion, chacun et chacune replié sur soi. Ceux et celles qui se connaissent se saluent d'un mouvement de tête, d'une poignée de main par-dessus les barrières, mais personne n'engage de conversation, sinon à propos du disparu, mais plus l'on se rapproche des marches de l'ancien palais de justice et plus les gorges se serrent, j'entends une secrétaire rousse, le visage rougi :

— Monsieur Lévesque... il m'avait dit

merci ! Parce que je pliais du papier ! Quand j'étais militante, oh ! je ne faisais pas grand chose, il y a plus de dix ans, et il m'avait dit merci, à moi ! Et moi... et nous... nous, on n'a pas su, on n'a pas pu...

Une autre, une veuve venue de son haut de duplex de la troisième avenue de Rosemont, gantée et chapeautée, une bagnolette de plastique par-dessus son feutre beige :

— C'était un grand Monsieur. J'ai bien de la peine. Il a tellement fait pour nous, les Canadiens français...

Elle cache brusquement son visage dans ses mains gantées, sanglote :

— Sans lui... sans lui, qu'est-ce qu'on va devenir, maintenant ?

Et une autre, aux cheveux argentés :

— C'est drôle ça... là seulement, on se tient tous debout !

On parvient enfin à gravir les marches, à dépasser les portes monumentales aux bas-reliefs de cuivre de l'ancien palais de justice, gardées par deux agents de la Sûreté provinciale, quand il nous apparaît, sa dépouille, qui repose dans un cercueil de bronze à moitié recouvert d'un fleurdelisé et flanqué de deux modestes bouquets de lys blancs, sa dépouille qui a été placée directement devant l'entrée, à seulement quelques mètres, si bien qu'aussitôt le seuil franchi c'est un choc de l'apercevoir encore si près de nous, puis on défile rapidement, parfois en esquissant un signe de croix, personne n'oublie la multitude qui attend toujours, certains déposent par terre une rose, un billet plié, voire une cigarette, pour exprimer encore une fois leur attachement à l'homme et, à la sortie, à l'extérieur, un groupe d'adolescentes et d'adolescents muets, graves, avec deux pancartes : Protégeons la loi 101, et :

Nous parlerons toujours français. Il est quatorze heures trente, des agents de la Sûreté signifient à ceux et celles qui affluent encore qu'ils ne pourront accéder à la chapelle ardente. Des femmes et des hommes supplient les agents de les laisser saluer une dernière fois monsieur Lévesque, d'autres s'accrochent aux journalistes présents en leur demandant d'intercéder en leur faveur, mais le protocole reste inflexible, les portes se refermeront à seize heures. Alors la foule s'est rassemblée devant l'ancien palais de justice, a attendu encore, puis quelques-uns ont entonné la ritournelle devenue célèbre :

Mon cher René,
c'est à ton tour
de te laisser
parler d'amour

et la mélodie mourait pour renaître sur d'autres lèvres, sans cesse recommencée de l'un à l'autre, en chœur, en canon, jusqu'à ce que s'ouvrent à nouveau les portes monumentales aux bas-reliefs de cuivre. Stupeur, consternation, silence, puis la foule s'est mise à battre des mains, à applaudir ! Des salves et des salves d'applaudissements qui s'élèvent, roulent, reprennent, tandis qu'on descend la bière avec lenteur jusqu'au corbillard, et lorsqu'on en rabat la portière, les applaudissements redoublent encore, et voilà que fusent des Merci René et des Bravo ! Bravo ! qui ne cessent que lorsque les véhicules du cortège sont hors de vue. Alors chacun a baissé la tête et le lendemain, nous avons suivi la cérémonie funèbre à la télévision, transmise en direct puis rediffusée aux actualités par les quatre chaînes francophones et les deux anglophones. Durant la messe télévisée, un Monseigneur a dit :

— La douleur, la sympathie, les regrets, ont soulevé le peuple québécois telle une puissante vague de fond.

Ensuite le Monseigneur nous a un peu perdus en nous parlant de Jésus et de Nicodème, et toute la cérémonie a été qualifiée, avec ce goût prononcé des Québécois pour les paradoxes, de « simple et grandiose ». Et l'on a pu voir, le peuple a pu voir, accompagnant la veuve et bien en avant de tous les dignitaires nationaux et internationaux, le chauffeur du disparu, et le peuple ainsi a pu constater que l'amitié entre deux hommes importait plus que les conventions. A la demande de la famille, seule une poignée de proches a assisté à l'inhumation. Sur la pierre tombale, l'épitaphe, écrite par Félix Leclerc de son lit d'hôpital :

« La première phase de la vraie histoire du Québec vient de se terminer. Dorénavant, René Lévesque fera partie de la courte liste des libérateurs de peuples. »

Et comme au pays du Québec, rien n'arrive jamais sans l'intervention de la toute-puissante nature, tandis que l'on descendait le cercueil en terre, s'est dessiné, dans l'azur, un incroyable arc-en-ciel, faible mais lumineux, tel un fragile signe d'espoir, que le peuple du Québec en a peut-être fini d'applaudir et de se taire.

C'est alors que le présentateur vedette Bernard Derome est apparu à l'écran et nous a déversé :

— Une heure après la fermeture des bureaux de vote, l'ordinateur central de Radio-Canada est en mesure de vous aviser que, pour la dixième fois dans son histoire, les Québécois, dans une proportion de 63,8 %, ont dit non à leur indépendance.

Le cœur de l'homme. Qui tape dans sa poitrine. Excitation ? La porte ouverte-fermée. Mais derrière lui. L'obscurité. Alors que. Le carré de soleil. Les ablutions. Attiré vers ce dos de femme. Elle murmure. Ses mains. A ses seins. A son ventre. Il la retourne. Plus que. Houle. Mais ses traits toujours cachés sous ses cheveux maintenant rabattus. Douceur. Quiétude. Combien de temps ? Pour redescendre ? Revenir à elle ? Elle souffle contre lui qui la soutient. S'allège peu à peu dans ses bras. L'embrasse. Ce goût d'elle qu'il retrouve. Pendant qu'il est enlacé. Fléchi jusque par terre. Elle le couche sur le carrelage encore humide. S'agenouille à ses côtés. Ses cheveux toujours sur son visage. Elle fronce sa peau de ses mains. Le flatte. Répand sa chevelure sur lui. Il se souvient lui avoir dit. Un jour. Que les filles de joie réclamaient moins cher. Pour une fellation. Jugée plus rapide. Elle avait alors juré de ne le caresser. De la langue. Qu'interminablement. D'étendre. D'étirer le plaisir au plus long. Et combien de temps ? Combien de fois ? L'avive-t-elle ainsi jusqu'au bord de l'orgasme ? Les cheveux de la femme ruissellent sous ses doigts. L'homme s'arque et se courbe. La supplie de l'achever. Oui, oh oui quand enfin. Un cri. Une plainte. La glaire. Jouissance.

Se sont-ils endormis ainsi avec elle la tête sur sa cuisse ? Il revient à lui. Elle. A quatre pattes près de lui. Tout près. Ses yeux de fauve au travers de la broussaille de ses cheveux. Ses babines retroussées sur ses quenottes de carnivore. Elle lui dit :

— Tu m'excites infiniment. J'ai la peau en braises. Et le sexe en larmes.

Maman ? Pourquoi tu m'as réveillée au plus creux de mes rêves ? Pourquoi tu m'as amenée dans la grande case ? Pourquoi les grandes elles me tirent sur les jambes ? Pourquoi elles chantent ? Pourquoi une autre elle me frotte avec de l'ortie ? Pourquoi là ? Ça chauffe ! Pourquoi les mains sur ma bouche ? Pourquoi elles me maintiennent si serrée ? Pourquoi la vieille avec la lame ? La lame en moi ! Là ! Là ! Je me tords, elle m'arrache, elle me déracine, les grandes chantent chantent chantent.

Notre chambre, la nuit, cette nuit, mon pouls déréglé. Comme si je m'étais échappée de. Comme si j'avais fui pendant des et des. Mais notre chambre, si familière, rassurante, et tu dors le long de moi, paisible. Longtemps je contemple la splendeur innocente de ta nudité, mon cher amant, puis j'entreprends, centimètre par centimètre, de réchauffer ta peau de mon haleine, il me semble que tu t'illumines de l'intérieur, que tu te nimbes d'un halo radioactif, imperceptiblement tu me cherches, je m'offre de dos, me caresse de ton sexe, quand je t'introduis en moi tu gémis, mais déjà j'ondule, je halète et tu halètes avec moi.

Petit matin fade. La femme a disparu. Tout a disparu. Le carré de lumière. Les coquelicots incandescents. Le mur en crépi. Où ? Mais quand ? Sa mémoire le lui rappellera. Plus tard. Beaucoup plus tard. Comme un choc. Une femme qui l'a touché. Touché plus qu'il ne l'aurait jamais cru. Une femme du début du siècle. Une femme un peu ronde. Qui lui a souri avec toute la candeur du monde. Une femme nue. En sépia. Une femme allongée avec des fleurs à la main. Sur une carte postale dite cochonne.

Les draps sont froids, ta place déserte. Craindre la nuit qui me noie de terreurs. Et craindre le jour parce que ces terreurs ne s'éteignent pas. Mais s'amplifient. Mais m'engloutissent. Non je ne veux pas. Que la vie ne soit qu'un cauchemar. Dont on s'éveille pour mourir.

Le répondeur

Fin septembre. La pluie, en rafales sur les vitres. Une autre journée qui s'achève sans que. Une chambre dans une semi-obscurité. Une veilleuse allumée. Mais tamisée d'une écharpe de soie capucine. Une femme sur le lit, au milieu de coussins. En déshabillé extravagant, transparences, froufrous, plumes. Au bout de ses doigts une cigarette qui se consume.

Comme dans le cendrier. A son chevet, flasques d'alcool et carafe d'eau. Brosses, peignes, fards. Pilules. Un grand verre à peine entamé, taché. Pas le premier. Un carnet d'adresses. Un téléphone aussi. Elle appelle.

— Est-ce que je ? Pardon. Je regrette vraiment de. Je sais bien que. Vous ne ? Vous comprenez, j'étais sur le point de le brancher. Le répondeur téléphonique. Un appareil tellement. Pourtant, d'habitude. J'évite de. A cause des autres femmes. Mais cette fois-ci, pour lui faire comprendre. Qu'il m'a perdue. Que demain je le. Absent. Encore. En voyage d'affaire.

Son mégot est déposé en équilibre sur la pyramide déjà accumulée dans le cendrier. Le verre porté à ses lèvres.

— A la vôtre ! Au combientième, vous ? Moi j'ai arrêté de. Déjà, ça ne m'en prend pas beaucoup pour. Je peux vous rappeler ? Le temps de ? Facile, avec la recomposition automatique. Le mien, le dernier numéro. Qu'on ait ou non décroché. On gage ? On fait comme ça et. Vous serez là ?

Elle raccroche. La pluie, monotone. La femme se secoue. Se brosse les cheveux. Se rajuste. Retire d'un geste vif l'écharpe capucine de la veilleuse. Se rallume une cigarette. Boit. Tergiverse. Puis utilise la touche qui recompose. Attend.

— C'est moi. Vous êtes certain que je ? On bavarde on bavarde et. C'est joli, Antoine. Un peu ancien. Moi c'est. Vous préférez ne pas ? Vous êtes bien comme tous les hommes qui. Les femmes tentent de se connaître. Et de connaître l'autre. Les hommes. Ils voudraient ne rien savoir. Ni rien apprendre. Ni de l'autre ni d'eux-mêmes. Le cœur, pour l'homme. Zone interdite. Leur *no man's land.*

Elle éclate en sanglots. Dehors, barrissement d'un poids lourd. La femme se force à inspirer.

— J'ai besoin d'un. C'est ça, d'un mouchoir. A tout de suite.

Elle en saisit un. Sous un coussin. Se mouche. Avale d'un trait son verre. Se reverse à boire. Eteint sa cigarette, s'en rallume une autre.

— Oui oui, ça va. C'est quand je. Tout ça me. Je ne peux m'empêcher de. Oui au début, on laisse faire. On essaie de laisser faire. On préfère se dire que. Non. Puis la pensée que c'est par exprès qu'il. Une pensée encore plus dangereuse. Mais le poison déjà distillé. Dans mes veines. En moi. L'empoisonnement. La volupté. De lui. Qui me.

Ses sanglots encore, une ondée. Qui, dans un hoquet, s'interrompt aussi sec.

— Oui je sais. Les autres aussi. Elles doivent penser que. C'est bien pour ça que ! Non mais ! Pas vous ! Non mais de quoi je ! Que vous, du moins ! Et puis tiens !

Elle raccroche. Ecrase plus que nécessaire son mégot. Malmène ses coussins en grommelant. Quelques pas dans la chambre. Coups de pieds dans les meubles. Longues goulées à même une flasque. Elle souffle. Se calme. Recompose le numéro.

— C'est moi qui. Vous m'avez reconnue ? C'est certain que. Une chance qu'on n'est pas des milliers à. Du moins je l'espère. Vous comprenez, quand on est peu. C'est ça. Déprimée. N'importe quelle. De quoi ? Ah oui, mes plumes d'autruche. C'est si douillet. Ça console et. Dans les revues féminines. Que la félicité se trouve dans un bain de mousse. Ou un carré de soie. Mais pour un amour mort, rien. La félicité, strictement entre le chiffon et la tarte tatin. Et vous ?

Elle se redresse. Toujours sans lâcher le combiné. Une autre lampée. Une autre cigarette.

— Pendant longtemps. Le désir. Oui, c'est ça. A toute heure. Pour même pas de raison du tout. Puis ça s'est éteint. Oui comme ça. Un noircissement brutal. Et j'attends toujours. Que comme avant. Comme avant que.

La pluie, griffue. Hululements d'une sirène, lacérant le lointain. Aboiements aigus. Tiraillement d'anxiété. La femme se rallonge. Sa main vers le chevet. Une lente frénésie. Un flacon. Plusieurs poignées de dragées. Alcool encore.

— Antoine ? Vous êtes bien le seul qui. On ne cesse de. Que j'ai tort de toujours croire que. Mais vous avez raison. Comme vous dites. Je vous rappelle et. C'est ça, Antoine. Aussitôt que.

Elle raccroche. La pluie, toujours. Peut-être pour toujours. Dans la rue, d'un oiseau de nuit attardé, fusent quelques notes sifflées. D'une insolente gaieté. Tout de suite gommées par la pétarade d'une moto. Elle, la femme en déshabillé extravagant. Un autre verre. Un dernier sans doute. Elle feuillette son carnet d'adresses. Lui téléphone enfin.

— C'est moi. Tu rentres tout juste ? Comment ? C'est vrai ? Comme avant ? Moi aussi. Beaucoup beaucoup. Et partout. On partira. Les îles grecques. Oui. Surtout si. Oui. Mon amour.

Elle coupe d'un baiser. Esquisse dans la chambre un tango mal assuré. Avec comme partenaire le combiné. Grotesque. S'affale sur son lit. Termine son verre avec une autre poignée de dragées, en se souhaitant bonne santé. Silence. Mortel. Rappelle l'autre. La seule voix.

— Le numéro que vous avez demandé n'est pas en service actuellement. Nous regrettons de ne pouvoir donner suite...

Toujours la nuit

D'abord ce serait la nuit. L'homme serait allongé. Nu, sous l'édredon. Et ce serait la nuit. L'homme aurait l'air de dormir. Mais il attendrait. A l'heure dite, on aurait sonné. Une main gantée aurait sonné, dix étages plus bas. Il le saurait. Il se serait vu hésiter, avant de répondre. Et répondre quand même. Tout à l'heure. Il y aurait trois minutes à peine. Un siècle.

Ce serait la nuit. Un 31 octobre. Une nuit de semaine sans importance. Une nuit d'hiver hâtif. Il aurait neigé. Tard hier. Durant la nuit aussi. Il aurait téléphoné à la femme. Il aurait seulement dit.

— C'est moi.

Elle aurait répondu.

— Je t'ai reconnu. Quand ?

— Minuit demain.

Minuit. Cette nuit. Tout de suite.

Peut-être ne viendra-t-elle pas ? Elle aurait pris l'ascenseur. Serait montée. Mais redescendue. Elle aurait hésité, elle aussi. Elle aurait eu peur de l'homme. Ou d'elle-même. Pourtant elle aurait dit Quand ? avec une telle assurance. Comme si elle savait qu'il lui téléphonerait. Comme si elle pensait justement à lui. Au moment même où il aurait placé son appel.

Ce serait la nuit. Le cœur de l'homme lui ferait mal. Un peu comme lorsqu'il était si malheureux. Qu'il n'en pouvait plus de vivre. Un songe ? Magique ? Impossible ? Le cœur lui cognerait. Mais autrement. Le cœur lui galoperait. De peur. Et de bonheur aussi.

La porte se serait ouverte. Puis aurait claqué comme le tonnerre, dans le studio silencieux. Dans le noir. Les yeux clos. L'homme aurait souri. Pourquoi cette femme si délicate ? Pourquoi claque-t-elle les portes avec tant de véhémence ? De quelle prison ??? La femme serait entrée dans le studio. Elle aurait marché en silence le long de la porte-fenêtre. Elle aurait gardé sa fourrure. Dans le noir. L'homme allongé ne l'aurait pas vue. Il l'aurait flairée. Un mélange de chat sauvage et d'ylang-ylang. Avant qu'elle n'arrive. Il lui aurait versé un cognac. Qui luirait dans son ballon, sur la table. La femme aurait bu à petites gorgées. Toujours marchant. Sans avoir retiré ses gants. L'homme le saurait cela aussi. Qu'elle ne retirait toujours ses gants *qu'en dernier.*

Chloé. Il se souviendrait à peine de son nom à elle. Mais tout à coup si bien de son parfum. Le pénétrant ylang-ylang. Où résonne le dièse cristallin du jasmin. Par bouffées de Chloé, des souvenirs. Des détails d'elle. Auraient tourbillonné dans la tête de l'homme. Son grain de beauté, au-dessus des lèvres. Le goût de ses cheveux, dans la nuque. Sa peau de fromage blanc, crémeuse. Sa fente.

Ce serait la nuit. La dernière fois. La dernière fois elle aurait dit.

— Je te veux.

Un Je te veux rauque. Âpre. La dernière fois. Elle aurait tant voulu qu'il n'y eût pas de dernière fois. La dernière fois. Voilà un si long temps. La dernière fois.

Chaque fois qu'elle et lui se seraient rencontrés. Chaque fois. Elle aurait craint que ce ne soit la dernière. Cet homme. Elle le savait. Lui échapperait toujours. Elle aurait dit Je te veux. Je te veux parce qu'une nuit tu as tenu mon poignet dans ta main. Pas serré ni agrippé. Tenu. Et j'ai songé que ta main ornait mon poignet comme le plus seyant des bracelets. Je te veux parce que tes baisers. Tes caresses. Toi. Vous laissez ma peau luminescente. Je te veux parce que. Parce que lorsque tu m'aimes je suis belle, je ne marche plus je suis un serpent qui danse. Je te veux parce que. Je veux ce que tu veux. Te délivrer de tes peurs. Apprivoiser tes tourments. Je rêve à ce que tu rêves. Je suis là. Pour toi.

Ce serait la nuit. Elle aurait seulement dit Je te veux. D'une voix rauque. Il se souviendrait de ce Je te veux, maintenant qu'elle serait là. Qu'elle aurait marché en silence. Le long de la porte-fenêtre. En buvant son cognac, exhalant l'ylang-ylang et le chat sauvage. Puis elle aurait déposé le verre vide sur la table. Et une fiole. Une fiole, au chevet de l'homme. Ensuite elle aurait tiré les rideaux d'un geste brusque. Ce serait la nuit. L'homme aurait l'air de dormir. Mais il attendrait. La femme dans son manteau de chat sauvage. Se serait plaquée contre la vitre. Jambes écartées, bras en croix. Une ombre sur les lumières émiettées de la ville. Elle aurait frissonné. Elle aurait dit.

— J'ai froid.

Mais ce serait un autre frisson qui aurait couru sous sa peau. L'attente. Le désir. Elle aurait contemplé. De ce dixième étage. La ville dans son écrin nocturne. Comme une reine, ses bijoux. Et jamais reine ne serait plus parée qu'elle cette nuit-là. Puisqu'il se donnerait à elle. Et elle à lui.

Ce serait la nuit. La femme se serait retournée vers lui. Se serait débarrassée de sa fourrure. L'homme aurait tressailli. Elle serait nue. Déjà nue. Il ne l'aurait pas vue. Ses yeux seraient toujours clos. Il l'aurait flairé cela aussi. Son odeur de femme. Par-dessus son Chloé. Et par-dessus son odeur à lui. Se serait engouffré d'un seul coup dans le studio. Un vent inerte.

L'homme aurait enfin soulevé les paupières. Elle serait là. Devant lui. Debout. Tout près. Nue. Et retirant ses gants. Elle le regarderait aussi. Dans le noir ses yeux luiraient. Le satiné des larmes. Et l'éclat du désir aussi.

L'homme, allongé. Nu sous l'édredon. On croirait qu'il dort, les yeux ouverts. Quand la femme se serait glissée le long de lui, il les aurait refermés. Elle et lui seraient demeurés ainsi. Peau contre peau. A s'écouter respirer. Leurs peaux. Qui les auraient brûlés. Et les brûleraient encore.

Surtout elle. Qui serait venue du froid. Nue sous son manteau.

Elle et lui se ressembleraient. Bruns de cheveux tous les deux. Les mêmes attaches fines. La même chair mate. Mais lui ramassé, massif. Elle gracile. Le ventre creux. Et la poitrine légère. Comme si elle avait refusé de grandir. Elle aurait été plus petite que lui. Pour quérir ses lèvres, elle aurait dû s'étirer. Tendre la gorge. Ses caresses. Lui. Son sexe. La combleraient tant.

Ce serait la nuit. Ni l'un ni l'autre n'auraient bougé. Puis l'homme aurait soupiré. Soupiré comme un enfant dans son sommeil. Et calé son visage dans le cou de la femme. Son bras, à elle, aurait encerclé sa taille. Lui, du sien, ses épaules. Se rapprocher encore. Comme sortant d'un rêve. Ou y rentrant. Elle aurait rêvé d'un étalon bistre. Crinière ruisselante, naseaux fumants. Qui aurait caracolé devant elle. Puis se serait avancé vers elle.

Aurait déchiqueté sa robe. En lambeaux. En pétales. En flocons. L'aurait broutée. Broutée. Puis elle l'aurait enfourché. Et chevauché. Ventre à terre. Dans une plaine sans fin.

Ce serait la nuit. Le studio serait tiède. Allongés sous l'édredon. Nus. Côte à côte. L'homme et la femme se seraient caressé le dos. Ce continent éloigné d'eux-mêmes. Toujours inconnu. Ce serait la nuit. Avec cette douceur implacable des femmes. Douceur de sirop d'érable et d'hydromel. Douceur de mousse humide pourtant envahissante. Elle se serait poussée contre lui. Hissée sur lui. Pieds contre pieds, genoux contre genoux, cuisses contre cuisses. Seins contre poitrine. Ventre palpitant contre sexe dressé. Alors seulement. Elle aurait posé ses lèvres sur ses lèvres à lui. Et les aurait mordues. Doucement. Ses lèvres si charnues et si bonnes. Il lui aurait semblé être morte de soif. Depuis des siècles. De n'avoir pas bu de son eau. Insensiblement. Le vertige l'aurait parcourue. L'homme. Les yeux clos. L'aurait senti. En goûtant sa langue au cognac. Pendant que leurs mains soudain. Auraient volé sur leurs corps.

Ce serait la nuit. L'homme et la femme ne dormiraient pas. Elle et lui flotteraient. Se griseraient de leurs caresses. Et de leurs baisers. Inlassables. Mais lorsqu'il aurait voulu porter sa main là. Elle l'aurait repoussée. Alors que sa main, à elle.

Quel sourire elle aurait eu, alors. Il ne pourrait deviner, lui. Son obsession, à elle. Cette idée fixe. Dans ses rêveries plus ou moins solitaires. Qu'il se déverse dans sa gorge. Qu'il soit en sa plus parfaite possession. Pour une fois. Qu'il s'abandonne. Il aurait été de ces hommes. Nombreux. Qui se caressent très vite. Si bien que rien. Ne rivalise avec leur poigne trop rapide. Elle aurait tant aimé. Qu'il apprît le plaisir de se laisser aller.

Ce serait la nuit. Il ne pourrait deviner, lui. Qu'elle aurait embrassé sa photo tant et si souvent que de noir et blanc. Elle aurait viré garance. A cause de son rouge à lèvres. Cet homme. La présence de cet homme. Lèverait en elle une rafale turbulente. Etrange rafale de feu. Qui s'emparerait d'elle. L'exalterait. Tout cela lui paraissait si simple et si compliqué. Si fragile et si fort. Et surtout si plaisant. Pourquoi ce sentiment d'éternité. En même temps que. L'acide morsure du présent qui meurt.

Ce serait la nuit. Dans le noir. L'homme distinguerait mal les traits de la femme. Elle se serait relevée. Aurait amené le dur oreiller sous ses hanches, à lui. Et se serait coulée sous l'édredon. L'homme ne dormirait pas. Il attendrait. Et peut-être. Peut-être qu'une angoisse délicieuse. L'aurait fait trembler. Ses doigts se seraient noués dans les cheveux de la femme. La femme. La bouche de la femme. L'aurait mouillé. Léché. S'attardant. S'éloignant vers l'intérieur des cuisses. Revenant. Tout ce qui bat en lui. Battrait là. Au milieu de lui. Quand les lèvres de la femme l'auraient happé. Ce serait la nuit. Et ce serait lui, maintenant, qui se pousserait contre elle. En elle. Mais sa tête à elle. Sa bouche. Serait montée. Et redescendue. Comme inexorable. A son tour. Il aurait dit Je te veux. Je te veux. Mais elle, au contraire, dans sa gorge, davantage. Et avec davantage de lenteur. Il ne se sentirait plus qu'une brûlure extase. Tout son être se serait resserré. Autour de. Crispé. La jouissance ramassée au bout de lui-même. S'entasse. Il suffoque. Explose. Décharge.

Ce serait la nuit. L'édredon aurait été rejeté par terre. L'homme ne dormirait pas. Il reviendrait à lui. Au monde. Au studio. Aux paillettes des lumières de la ville. Et à la femme. Qui aurait l'air de dormir, la joue sur son sexe. Mais elle ne dormirait pas. Elle se serait redressée. Etirée. Aurait ri tout bas, promenant ses mains sur son torse. Puis à la tête du lit. Pensive. Aurait baissé les yeux. Et levé une cuisse. Dirigé ses doigts. Là. Il ne rêverait pas. Elle se serait caressée devant lui. A côté de lui. Silencieuse. Comme pour ne déranger personne. Il la verrait se soulever. Et vibrer comme une onde. Il la verrait s'écarquiller. Béer. Sur le point de. Elle aurait renversé la tête en arrière. Ses soupirs se seraient creusés. Ses narines dilatées. La bouche étirée comme pour crier. Mais elle ne crie pas. Elle implose. Orage.

Ce serait la nuit. Un long temps. L'homme se serait penché sur la femme. Bestiole morte. Ou évanouie. Mais elle ne serait ni morte ni évanouie et ne dormirait pas non plus. Elle lève sur lui ses yeux luisants. Le contemplerait, penché sur elle. Bandé. Le désir de lui plus fort que tout, soudain. Qu'elle se serait brandie vers lui. Qu'elle quêterait son corps. Ses lèvres. L'homme et la femme se seraient enlacés. Comme deux lutteurs. Et auraient lutté.

— Tu gagnes. Tu gagnes lui aurait enfin dit l'homme. Les épaules collées au matelas.

— Attends lui aurait dit la femme.

Elle aurait saisi la fiole. La fiole laissée sur la table de chevet. Une fiole d'huile soyeuse. En aurait versé dans ses paumes. L'aurait réchauffée. L'aurait ensuite appliquée à l'homme. Ce serait la nuit. L'homme ne dormirait pas. Il geindrait. La femme le caresserait à deux mains. La sienne aurait cherché un sein. Une hanche. Le sexe de la femme. La femme qui s'exciterait contre sa jambe. Quand tout à coup. Elle se serait enfilée sur lui, rivée. Instant gourd et effarant du désir suspendu. Chair grésillante avant de se liquéfier. Avant que cela ne déferle.

Avec ses ressacs et ses lames de fond. Avec ses crêtes et ses creux. Baisers salés et caresses d'algues.

Ce serait la nuit. L'homme aurait du mal à supporter un plus long temps cette immobilité. Alors. Toujours soudé à elle, il l'aurait placée sous lui. Il ne saurait plus si c'est elle qui l'aspire. Ou lui qui la fouille. Elle s'oublierait. Et il s'oublierait. Elle et lui auraient tangué. Elle aurait jeté ses pieds autour de ses hanches. L'animale machine de l'amour bute et s'éventre. Se contracte et se ravine. Se balance. Rugit. Valse folle. Elle le sentirait qui se gonfle et se durcit davantage. Au creux d'elle aussi. Le torrent s'enfle, la source bout. Elle aurait feulé. Il aurait grondé. Au bout de l'élan. Au pic de la tension. Cela éclate. Les traverse. Les consume. La jouissance.

Il lui aurait dit.

— C'est moi.

Elle aurait dit.

— Quand ?

Elle aurait demandé Quand ? si souvent. Avant. Quand reviendras-tu ? Quand seras-tu de retour ? Quand me prendras-tu de nouveau ? Ne sais-tu pas que j'aurais le cœur moins pesant, si je savais Quand ? Ces trop nombreux Quand ? de la femme amoureuse dont on se désintéresse. La dernière fois. C'était l'hiver aussi. La dernière fois. Quand il s'était retiré d'elle, elle avait échappé un sanglot. Un sanglot de biche aux abois. D'un seul coup, la distance. L'univers déchiré. Alors elle s'était levée d'un bond chercher des cigarettes. Pour le retenir. Nu à côté d'elle. Un peu. Encore un peu. Puis elle avait appuyé sa tête. Sur la poitrine de l'homme. Un long moment trop court. Il avait poussé un soupir. Le soupir de celui qui doit s'en aller. Elle le lui avait fait remarquer. Il s'était étonné qu'elle l'eût si bien pressenti. Bientôt, en effet, il avait disparu. Pour toujours. Mais cela elle l'ignorait encore. Elle aurait tant souhaité qu'il n'y eût pas de dernière fois. Et pour ne pas le perdre des yeux, elle avait pressé sa joue. Et ses seins. Contre la fenêtre barbouillée de givre. Et le givre, en fondant, l'avait perlée de larmes glacées.

Ce serait la nuit. Elle et lui. Coincés dans l'étau du destin. Pétris de solitudes. De silences. Et de désirs. Je l'ai vu. Je le vois ce que j'aurais tant voulu. Tant aimé. Tant rêvé. Ce qui aurait pu être mais ne sera jamais. J'étais follement éprise de toi. Tu m'as quittée. Depuis. Hier. Aujourd'hui. Depuis. Toujours la nuit.

Maîtresse

Date en cours : 01/Nivôse/2062
Heure en cours : 14 : 03 : 37
Utilisateur en cours ; Cyrias-Anthime-Romuald Nipt

Pourvu surtout qu'elle se présente. Qu'elle lui apparaisse. Qu'elle lui adresse quelques phrases, ne fussent-ce que quelques mots. L'homme fixait sans discontinuer l'écran à cristaux liquides de son ordinaphone en avalant des moules en poudre et des krills lyophilisés sans aucun goût, bien que, pour plus cher, il aurait pu savourer par exemple des brochettes de sauterelles grillées à l'eucalyptol de synthèse ou des coraux de Mélanésie sauce mazout, mais peu lui importait ce qu'il avalait, pourvu que cela le soutienne dans son attente, son attente jusqu'au soir, jusqu'à la nuit, jusqu'à ce qu'il tombe de fatigue, lorsque ses yeux douloureux en viendraient à clignoter au même rythme que le curseur.

Il l'attendait. Sans elle, il se languissait, dépérissait. Mais il savait qu'elle lui reviendrait, elle si belle avec son regard pyrogène, si belle avec ses lèvres cinabres au dessin délicat, à l'ourlé parfait, si belle avec son épaisse chevelure exhalant autant le piquant cinname asiatique que l'entêtant opoponax méditerranéen, que la fraîche lavande alpine, si belle avec l'aimable rondeur de ses formes et son élégance suprême, qu'elle s'enveloppe de brocarts de titane et de platine, ou encore de voiles évanescents qui irisent sa nudité, ou, au contraire, qu'elle endosse les haillons pesants et poussiéreux de toutes les misères, et que pouvait dire Cyrias-Anthime-Romuald Nipt de celle qu'il aimait, sinon qu'il l'aimait, et c'était tout. Il l'aimait tant, d'un amour insensé, démesuré, déraisonnable. Il n'était pas le seul et il le savait, elle faisait l'objet d'un culte universel, et bien que certains l'aimassent plus et surtout tellement mieux qu'il n'y arriverait jamais, il l'aimait.

Pour elle, pour la retrouver, pour la rejoindre, Cyrias-Anthime-Romuald Nipt avait sillonné l'ancien et le nouveau monde, pour finir par s'isoler ici, à la périphérie de la mégapole de la mère-patrie, dans cette chambre minable aux rideaux tirés, pour se consacrer à elle et à elle seule, avec pour tout compagnon le cliquetis de son ordinaphone, qu'il avait équipé du martèlement supposé d'une antique Remington 1938, une machine dont on se servait losqu'on utilisait encore du papier pour écrire. Parce que Cyrias-Anthime-Romuald Nipt s'était voué à elle, à son amour, parce qu'il ne songeait plus qu'à l'aimer et à la faire aimer de plus en plus, parce qu'il ne voulait plus rien d'autre que répéter ses paroles, répandre sa pensée, il négligeait même ses deux amis, Gora et Kumivian.

Avec Gora, de la tribu des Bassaris, les fils du caméléon de la région du Fouta-Djalon, à la frontière guinéenne, il avait chanté ce poème d'un poète d'avant qui avait connu à son époque un immense succès et que l'Académie avait fini par admettre dans ses rangs alors qu'il avait atteint l'âge plus que respectable de quatre-vingts treize ans, avec Gora il avait chanté, de ce fameux poète, à l'ombre maigre d'un baobab rabougri, avec tant d'émotions :

La mer qu'on voit danser
le long des golfes clairs
a des reflets d'argent, la mer...

Avec Kumivian, son seul autre ami, de la tribu des Punans, qui habitait une maison sur pilotis à Bornéo et portait des anneaux dorés dans le nez, avec Kumivian il avait chanté ;

Mon pays
ce n'est pas mon pays
c'est l'hiver...

d'un visionnaire de son pays alors que celui-ci n'était pas encore un pays, mais une entité d'un autre ensemble qu'on appelait confédération. A présent, Gora et Kumivian ne communiquaient plus avec lui que de loin en loin, et toujours en le traitant de fou, et c'est vrai, il était fou. Fou d'elle.

Mais tandis que les granules de krills lyophilisés fondaient sous sa langue,

Cyrias-Anthime-Romuald Nipt s'est souvenu de sa mère qui leur racontait, à lui et à ses frères jumeaux, comment, toute petite, elle avait vu sa grand-mère à elle préparer des aliments, c'est-à-dire les laver, les éplucher, les chauffer en leur ajoutant des herbes, du beurre, de la crème, et il se souvenait des descriptions de sa mère quand elle lui contait le beurre, une matière grasse de provenance animale d'un jaune pâle de soleil de Ventôse, et qui ramollissait à la température de la pièce, il se souvenait des descriptions de sa mère quand elle lui contait la crème, blanche et parfois presque blonde, parfois légère comme une nuée et parfois lourde comme neige de Frimaire, et que cela, l'été, nappait, en leur conférant un goût incomparable, des baies d'un rouge prononcé grenues de picots verts qui portaient le nom de fraises, mais tout cela, c'était à la fin du précédent millénaire, avant les « événements ». A présent, seules quelques rares et savantes archéologues connaissaient encore ces ingrédients et, surtout, cette manière révolue de procéder. Tout jeune, Cyrias-Anthime-Romuald Nipt réclamait sans cesse que sa mère lui récitât ces merveilleuses histoires qu'elle tirait du si vieux livre légué par l'arrière-grand-mère, et il s'était endormi si souvent en rêvant à ses contes préférés, *le jambon froid reine Pédauque, la poulette truffée sauce normande,* et *la tulipe froide et son croquant aux amandes,* ces contes de fées impérieux comme des oracles qui éveillaient en lui des sensations inconnues, des saveurs oubliées : mettre le jambon bien dessalé dans le court-bouillon refroidi... ajouter les jaunes d'œufs battus en incorporant la farine en pluie... qu'encore maintenant, lorsqu'il glissait dans le sommeil en songeant à sa belle, tout cela murmurait toujours sans son oreille et le berçait. Cyrias-Anthime-Romuald Nipt se disait parfois que c'est dès lors, dès son enfance, qu'il avait commencé à l'aimer, elle, sa belle, sans le savoir, presque malgré lui, qu'il la cherchait, qu'il la poursuivait déjà, qu'il en était déjà hanté, sans en avoir pris vraiment conscience.

« Les événements » s'étaient produits à la fin du précédent millénaire, bien qu'on dise que de nombreux signes avant-coureurs les avaient annoncés des dizaines d'années auparavant. On dit qu'en ces temps-là, les bébés ne naissaient qu'un par un et si nombreux qu'ils ne portaient tous qu'un unique prénom, on dit qu'en ces temps-là, la terre ne comptait pas moins de cinq milliards d'individus dont les trois quarts n'avaient jamais assez de quoi manger, pendant qu'ailleurs des fortunes colossales s'engloutissaient dans la fabrication d'engins de guerre ultra-perfectionnés, que les nations s'affrontaient entre elles pour des questions de territoires ou d'idéologies, voire de religions, on dit qu'en ces temps-là, des hommes gouvernaient partout, dominaient toutes les activités étatiques et commerciales et qu'ils étaient assoiffés de sang, de pouvoir, on dit qu'en ces temps-là un peuple appelé américain inculquait aux autres son parler, son art et ses coutumes, tant et si bien que chacun n'aspirait plus qu'à cette américaine manière de vivre, jusqu'à ce que surviennent « Les événements ». Et Cyrias-Anthime-Romuald Nipt n'en savait guère plus, ni quiconque, sur ces événements sinon que, des décennies plus tard, on ne les évoquait encore qu'avec terreur : la planète qui avait été sur le point d'exploser, les typhons embrasés de particules nocives, les fières et orgueilleuses cités fracassées, pulvérisées, les millions et millions de cadavres abandonnés sans sépulture, les milliers de races animales et végétales anéanties, l'obscurité intégrale jour et nuit pendant de longues années, le froid implacable, irréductible, qui avait glacé les océans et enfoui le sol sous une chape nivale de béton lactescent.

Puis les quelques survivantes de son pays, descendantes d'une race qui savait déjà comment vivre dans la froidure, une race d'inventeurs qu'on appelait des patenteux, capables de bricoler une nef spatiale à partir de boîtes de conserve, ces survivantes avaient réorganisé la vie, les communications, la recherche et jusqu'au calendrier, qu'elles avaient adapté du très ancien calendrier dit révolutionnaire, puis, avec l'aide de quelques Gauloises et Africaines, qui, elles, descendaient d'une race de restaurateurs et de marchands, leurs talents réunis, elles avaient remis sur pied la survivance des autres humains, réinventé l'alimentation et sa redistribution planétaire. L'ère précédente avait été mécaniste et matérialiste, le nouvel âge serait biologique et météorologique. Toute la science s'était tournée vers la gynogenèse et la parthénogenèse, sans lesquelles l'humanité aurait été définitivement condamnée.

On dit que c'est à l'occasion de cette replanification du commerce et du savoir que sa belle avait resurgi. Certains l'avaient prétendue dévoyée, avilie, perdue, menacée, voire morte depuis longtemps, mais Cyrias-Anthime-Romuald Nipt n'arrivait pas à croire une chose pareille, elle si débordante de vie, si radieuse et si fière. Qu'elle se soit sentie effrayée, qu'elle ait perdu confiance en elle-même, en son intelligence et sa beauté, il consentait à le comprendre, qui ne l'avait pas été ? Lui-même, Cyrias-Anthime-Romuald Nipt, n'avait-il pas erré longtemps avant de se trouver ? Et de la retrouver, elle.

Il était tombé fou amoureux d'elle un soir, chez un homme qu'on disait centenaire, fort riche et fort disert. Elle était à son bras, pleine d'esprit et de charme, alors pour elle, pour sa belle, il avait décidé de devenir meilleur, plus savant, plus digne d'elle, mais il s'était aussi persuadé qu'il parviendrait à la conquérir à son tour. Pour ce, il avait tout quitté, ses frères, sa mère puis son pays et jusqu'à son continent. A sa recherche, à sa poursuite, il avait parcouru les hauts plateaux de la Pampa comme ceux du Yunnan-Kui-Chou, la Terre de Baffin comme celle de Wilkes, traversé les déserts de Gibson et de Mauritanie comme les montagnes de Lablonovy et celles du Kurdistan et partout on l'aimait déjà parce qu'elle était à l'image même du plaisir, de tous les plaisirs, à la fois délicate et farouche, précise et gourmande, caressante et cruelle.

Mais, en toutes ces contrées lointaines, elle s'était refusée à le rencontrer en tête-à-tête, alors Cyrias-Anthime-Romuald Nipt avait compris qu'il devait retourner dans la mère-patrie et qu'alors seulement, s'il y mettait assez de soins, de patience et de rigueur, elle lui accorderait quelques instants. Bien entendu, il avait essayé d'aimer d'autres femmes, en particulier une superbe driankê sénégalaise qui embaumait le tchouraï après s'être accroupie, son boubou déployé, au-dessus d'un pot où brûlaient des encens, mais, était-ce à cause de son trop fort attachement à sa belle ? ni cette driankê ni les autres créatures n'étaient demeurées très longtemps avec lui, même s'il avait connu parfois avec elles des instants de bonheur, ces quelques instants si friables pendant lesquels il avait cru au simple amour humain, jusqu'à ce que l'autre s'acharnât, avec une inconsciente et presque touchante application, à tout casser, à tout trahir. Pourtant, Cyrias-Anthime-Romuald Nipt avait tâché que sa monomanie n'entravât en rien sa vie de couple, mais peut-être aussi était-ce inéluctable, qu'aucune compagne, si dévouée soit-elle, n'accepterait de partager avec lui sa dévorante passion.

Alors il s'était réfugié là, dans sa chambre en cellule de moine, avec, pour tout compagnon, son ordinaphone à cliquetis de Remington 1938, car elle, sa belle, n'aimait à le visiter que dans la plus grande solitude et le dénuement le plus complet, c'est ce qu'elle exigeait de lui et parce qu'elle l'exigeait, il s'y soumettait sans difficulté et même avec joie, car c'est elle, sa belle, qui lui procurait ses plus grandes voluptés, les plus essentielles et les plus durables aussi.

C'est ainsi que Cyrias-Anthime-Romuald Nipt avait réalisé que ce que l'on cherchait toujours avec tant d'avidité si loin de soi s'était toujours trouvé là, tout près de lui. Où elle finissait toujours par le rejoindre. Par le réconforter. A attendre qu'il la séduise à coups d'histoires et de mots. Mais plus il lui parlait et moins il savait les histoires et les mots. Il avait le souffle court et la caresse brutale, et souvent elle s'était rebuffée, minant le peu de confiance qu'il avait en lui. Il en avait ensuite pour des heures à s'accabler, à scruter en vain son ordinaphone, à quêter sa présence sans laquelle sa vie n'était qu'un cachot. Mais plus il s'en approchait et plus elle se dérobait, sans manquer d'exciter toujours son désir de la posséder, qu'elle se renverse, qu'elle se plie, qu'elle se torde sous la caresse de ses doigts, qu'il cueille sur ses lèvres la source même de l'extase, qu'il boive sa capiteuse haleine, qu'il se convulse sous elle et à l'intérieur d'elle, qu'il sente sa chair intime se gonfler et palpiter, se nacrer de son amère et lumineuse rosée, ses eaux se soulever, déferler, le noyer, que, sous son étreinte, elle s'épanouisse, fleurisse, croisse et se répande jusqu'aux confins de l'univers, que l'amour qu'il lui porte en porte d'autres à l'aimer encore davantage, sa belle française, sa langue.

Jalousie

Combien de temps, pour mourir de soi ? Le 2 décembre. Pas déjà. Déjà. Combien de temps, avant que ? C'est ce qui lui était venu à l'esprit en contemplant, derrière leurs vitrines, des gemmes dans leur splendeur première, telles qu'arrachées des entrailles de la terre. Elle se disait aussi qu'elle était jalouse même de ces pierreries au naturel, de quoi, ou de qui ?

n'était-elle pas jalouse, en vérité ! Il lui semblait que n'importe qui, et surtout n'importe quelle femme, valait mieux qu'elle, elle, une étrangère en situation irrégulière, sans famille, sans amies, toutes laissées là-bas, abandonnées pour l'amour d'un homme, un homme qui maintenant l'aimait moins, elle qui ne parvenait pas à ne pas l'aimer, à le quitter, à se tuer comme à vivre. Elle s'était donc rendue seule, à cette exposition, un peu de nature la réconforterait peut-être, la nature, comme elle lui manquait, la nature souveraine de son pays, rugueuse, indomptée, alors qu'en France aucun paysage ne lui semblait jamais assez, assez sauvage, assez échevelé, mais devant ces joyaux bruts elle s'était émerveillée de leur harmonie protéiforme, un mésolyte en scintillantes houpettes de neige, leur improbable légèreté inaltérable, un aragonite laiteux aux étranges rameaux coralliens, plus aquatiques que minéraux, un grès où se modulaient des déserts fauves sous des ciels mordorée, une pyrite aux impeccables cubes fuligineux, sombres univers carrés mouchetés d'étoiles d'or, et les géodes d'améthystes lui avaient renvoyé l'image exacte de son amour, que les gaz volcaniques du désir, emprisonnés sous leur gangue terrestre, leur épiderme calcaire, incapables de jaillir à l'air libre, mais qui se cristallisent, tapissent le coeur d'épines translucides, d'un violet limpide et tendre. Oui, comme elle enviait tous ces cristaux, leur éclat, leur pureté, leur dureté, elle si terne, si opaque, si amoureuse, et si bête. Puis elle s'était souvenue d'elle-même, enfant, comment elle jouait à la roche, son jeu à elle pour se consoler des inévitables malheurs de l'enfance, comment elle s'enfermait au plus ténébreux de la maison, au fond d'une garde-robe ou dans un coin de la cave, à même le sol battu, comment elle s'y blottissait, immobile, des heures durant, à se convaincre de devenir une pierre et à rêver à d'autres millénaires. Tout était si simple alors qu'il lui suffisait, pour accéder derechef au bonheur, de se croire galet ou caillou.

Table

Achevé d'imprimer
en mai 1989 sur les presses
des Ateliers Graphiques Marc Veilleux Inc.
Cap-Saint-Ignace, Qué.